CUIDADOS, CRIANZA Y RAZAS

EL LIBRO DE LOS

GATOS

CUIDADOS, CRIANZA Y RAZAS

EL LIBRO DE LOS
GATOS

PADDY CUTTS

grijalbo

Primera publicación por Lorenz Books en 1992

Edición Joanna Lorenz
Dirección de proyecto Judith Simons
Editor Lesley Ellis
Director de arte Peter Bridgewater
Diseñador Annie Moss
Ilustrador Vana Haggerry

© 1992 Anness Publishing Limited

© 1997, Lorenz Books
© 2002, de la edición en castellano para todo el mundo:
Grupo Editorial Random House Mondadori, S.L.
Travessera de Gràcia, 47-49, 08021 Barcelona
© 2002, GEA, por la traducción
Reservados todos los derechos
ISBN: 84-253-3696-1

Fotocomposición: Revertext, S.L.
Impreso en China

ÍNDICE

CARACTERÍSTICAS
DE LOS GATOS

*Hoy día, el gato es probablemente la mascota más popular
en el mundo. Se ha especulado mucho sobre el porqué de
esta realidad. Los gatos no son obedientes, como los perros, ni
podemos entrenarlos para que hagan monerías o nos traigan
las zapatillas. Tampoco los usamos ya para cazar ratones.
Son animales independientes, y siempre da la sensación de que no
nos necesitan para vivir. Les envuelve un cierto misterio, y aunque
pensemos que conocemos a nuestros gatos, ¿es realmente posible?
Parece siempre que nos digan: «Te crees que me conoces, pero yo te
conozco mucho mejor a ti». Lo que hace difícil describir
a un gato es su personalidad. Pregúntele a cualquiera que tenga
el privilegio de compartir su hogar con uno de estos veleidosos
felinos: cada uno le dará una respuesta diferente.*

LA HISTORIA DEL GATO DOMÉSTICO

A lo largo de la historia, el gato ha tenido momentos de mayor y menor popularidad.

Encontramos algunos de los ejemplos más antiguos de gatos domésticos en Egipto: allí estos animales eran adorados como dioses, matar a un gato se castigaba con la muerte. Los gatos se enterraban con el boato que correspondía al faraón, y era corriente momificar no solo a los reyes, sino también a estos felinos. Las momias de gatos nos han enseñado gran parte de lo que sabemos de los primeros felinos domésticos. El Museo Británico de Londres conserva muestras de las expoliaciones en las pirámides entre finales

El gato fue una criatura muy venerada en el Antiguo Egipto, como encarnación terrena de la diosa gata Bastet. Los restos momificados de gatos revelan que estas primeras especies domesticadas tenían un pelaje rayado o atigrado, como se aprecia en estas pinturas murales egipcias: un gato pequeño se acurruca bajo un taburete mirando a una pareja jugar al ajedrez (ARRIBA); a la IZQUIERDA, un felino acompaña a una familia en una expedición de caza, ahuyenta las aves de las tierras pantanosas del Nilo (pintura de Tebas, h. 1400 a.C.).

del siglo XIX y principios del siglo XX que incluyen numerosos gatos momificados. Al retirar las vendas, aparecían especies siempre de un mismo tipo, gatos de pelo corto «punteado» de color parduzco, bastante parecidos a la raza que hoy llamamos abisinia.

Si durante siglos fueron venerados como dioses, los tiempos cambiaron para los gatos durante la Edad Media, cuando se les empezó a «asociar» con las brujas. Felinos y hechiceras compartieron el mismo destino: fueron condenados a la hoguera. El gato negro se ha relacionado siempre con la brujería, lo que ha dado pie a algunas supersticiones. Se supone que un gato negro que se nos cruce en el camino es signo de mal agüero, aunque también hay quien considera a los gatos negros como mascotas de la buena suerte; ciertamente, ambas historias se han debido cruzar en algún momento.

En Birmania y Tailandia, los gatos han gozado siempre de una alta estima. Las razas que hoy conocemos como burmeses, siameses y korat descienden de aquellas lejanas regiones del globo. El siamés fue conocido como gato «real» de Siam; solo la realeza estaba autorizada a poseerlo. Recibir uno de estos animales se consideraba un honor, y tal presente se otorgaba únicamente a dignatarios llegados de otros países que se habían ganado el favor del rey.

◆ ARRIBA
Gato con un pez; kalighat indio.

◆ DERECHA
Gatito y ovillo de lana, de Murata Kokodu, 1866. Esta delicada pintura japonesa muestra a un gato con las marcas y el pelaje corto típicos de la raza bobtail japonés.

◆ IZQUIERDA
Yoshifuji, gato hechicero de Okabe, en el camino de Tokkaido. Esta pareja de gatos maliciosos refleja la clásica combinación de colores mi-ke de blanco, rojo y negro.

◆ ARRIBA
*El Manx es una de
las variedades más
conocidas de gatos
de raza sin cola.
Originaria de la isla
de Man, frente a las
costas occidentales
de Inglaterra, y muy
conocida en todo el
mundo, la evolución
de esta raza estuvo
limitada por la
estricta reserva
genética de la
población de
gatos de esta
remota isla.*

garon por primera vez a la isla desde Extremo Oriente; las tormentas a veces obligaban a los barcos a detenerse en la isla de Man si no podían llegar a Liverpool, y es bastante probable que algún que otro gato escapara y se quedara a vivir en la isla. La imposibilidad de tener contacto con las especies del continente hizo que estos felinos se reprodujeran únicamente con sus parientes, lo que perpetuaba la falta de cola. Todavía hoy, los gatos de la isla de Man carecen de cola, aunque de vez en cuando sí aparece en sus crías.

LA EVOLUCIÓN DEL GATO DOMÉSTICO

Todos los gatos descienden de parientes grandes y salvajes, y en algunas especies domésticas actuales, sean o no de raza, se distinguen ciertos rasgos de esta herencia.

La evolución ha dado al gato un pelo de camuflaje que le permite esconderse de los depredadores. En la naturaleza, el instinto de los gatos es dormir de día y cazar protegidos por la oscuridad. Una visita al zoológico nos convencerá de lo perfecto del camuflaje de sus hermanos mayores: los leones, que viven en regiones secas de escasa vegetación, han adoptado un pelaje del color de la arena; las panteras de las nieves son de un tono claro que les permite confundirse con su nevado entorno; en las junglas, los felinos suelen tener manchas o rayas para reproducir la luz moteada que baña los suelos selváticos. También es ingenioso el pelaje de los gatos pardos domésticos: para que la hembra proteja a sus crías es importante un buen camuflaje, y el dibujo de tipo pardo los hace casi indistinguibles del fondo en una gran variedad de ambientes. El gen del color pardo tiene, para este propósito, una vinculación con el sexo y solo aparece, por lo general, en las hembras.

Como los gatos suelen dormir de día han desarrollado otro mecanismo para defenderse, además del color, que es perceptible todavía en las especies domésticas: un pelaje más ligero entre la parte superior de los ojos y las orejas. Observe a un gato mientras duerme: la zona más clara de pelo

Tal vez por la limitada reserva genética disponible en regiones tan remotas, estos gatos tienen a menudo colas deformes.

Se dan casos semejantes de endogamia en Japón; confinada en una isla, la población de gatos nativos no tiene ocasión de aparearse con ejemplares no emparentados, con lo que cualquier defecto en la configuración genética se duplica en cada generación. De estos cruces surgió la raza que hoy conocemos como bobtail japoneses.

Conforme los barcos fueron haciéndose más grandes y cubrían mayores distancias, los gatos vieron cambiar su futuro. Estos animales eran buenos cazadores de ratones, y muchas embarcaciones «contrataban» sus servicios. Reyes de la evasión, no eran pocos los gatos que huían de los navíos y forzaban a la tripulación a tomar otros en su lugar, en puntos geográficos lejanos, que transportaban luego a su tierra.

Frente a la costa occidental de Inglaterra, cerca del puerto de Liverpool, se encuentra la isla de Man, una pequeña extensión de tierra que acoge a una variedad de gato sin cola conocida por Manx. Se cree que estos felinos desprovistos de cola lle-

(continúa en pág. 13)

♦ DERECHA
*En los entornos
naturales,
el camuflaje tiene
enorme importancia
para ocultar a
los animales de los
depredadores.
Los gatos domésticos,
como sus primos
salvajes, exhiben
colores y dibujos
en el pelaje que se
confunden con su
hábitat natural. Este
gato pardo resulta
casi indistinguible
del fondo del jardín.*

♦ IZQUIERDA
*Este gato burmés
dormido parece
estar despierto,
por más que
tenga los párpados
fuertemente
apretados. El pelaje
más ligero que tiene
encima de los ojos
pretende confundir
al depredador,
incitándole a pensar
que el felino está
alerta y en guardia.*

GATOS SALVAJES

Si pregunta a los dueños de los gatos por qué eligieron compartir su vida con un felino doméstico, muchos responderán que porque admiran su independencia. Este rasgo se enraíza profundamente en el comportamiento de sus ancestros, esas criaturas autosuficientes de magnífico diseño que se han sabido adaptar para vivir en todos los confines del planeta; en climas fríos o calurosos, en la nieve o al sol, en la selva o el desierto, la montaña o la meseta, siempre existen felinos de una u otra clase adaptados bien al entorno.

✦ IZQUIERDA
Las crías del gato indio del desierto muestran manchas distintivas que desaparecen en la madurez.

✦ ABAJO
El gato salvaje escocés ha desarrollado un pelaje grueso e impermeable como protección contra el duro invierno y una expresión de ferocidad para mantener a raya a los depredadores.

✦ IZQUIERDA
El nombre de gato de la selva lleva a equívoco, ya que este animal evolucionó en un principio en las regiones arenosas de Egipto y tiene un pelaje claro y rayado que le permite camuflarse en las zonas desérticas.

✦ DERECHA
La especie la-lang, conocida normalmente por «gato leopardo», tiene como hábitat natural los bosques oscuros y las zonas de hierba alta, de lo cual surge la necesidad de tener ojos grandes. El pelaje moteado refleja la luz natural que se extiende por el suelo boscoso de esas zonas.

so pelaje «doble» que lo mantiene caliente en los climas extremos bálticos.

Los gatos se han venido importando y exportando durante décadas, y no siempre viven hoy en un clima adecuado a su pelaje. Por este motivo, los propietarios de gatos de pelo largo de las zonas tropicales a menudo se lo recortan en las épocas más calurosas del año, mientras que las especies de Extremo Oriente que viven en zonas más frías necesitan algún tipo de calefacción adicional en los meses invernales.

LA CONDUCTA DE LOS GATOS

Buena parte de los rasgos de comportamiento de los gatos domésticos modernos se vincula directamente con su pasado salvaje. No siempre se acepta socialmente,

da la sensación de que tiene los ojos abiertos, de manera que los depredadores pueden pensar que el animal está despierto, en guardia y preparado para atacar. Una forma sencilla, pero eficaz, de protegerse.

La longitud y el tipo de pelaje dependen de la parte del planeta de la que proceda el animal. El gato salvaje de Escocia tiene un pelo grueso y denso que lo mantiene caliente y seco durante los inhóspitos inviernos escoceses. Los persas y de angora, originarios de las tierras altas de Irán y Turquía, desarrollaron un pelaje largo por la misma razón; las regiones montañosas son frías de noche, y en invierno la longitud adicional de pelo tiene un efecto aislante. El claro pelaje del siamés tiene una textura fina y sedosa que lo refresca rápidamente cuando el tiempo es caluroso. El gato ruso azul, originario según se cree de Arcángel (Arjanguelsk), exhibe un curio-

Unidad familiar con la madre, el padre y la hija en una sesión de higiene social. El macho muestra un interés amistoso y paternal por la gatita, pero la situación sería muy distinta si se hubiera tratado de un intruso.

pero lo cierto es que los gatos tienen un acentuado sentido del territorio y buena parte de lo que hacen es un reflejo de la necesidad de marcarlo, sobre todo cuando no están esterilizados.

En ambientes naturales, esta conducta tiene gran importancia. En las épocas de hambre o de sequía apenas hay comida y los machos marcan su territorio para garantizar que no lleguen intrusos y cacen en una determinada zona. Si hay también una

hembra con crías, esta actitud es todavía más importante, para la supervivencia de los cachorros. No es raro que un macho ataque a las crías de otros gatos, algo que todavía hoy puede verse: un felino merodeador puede matar con facilidad a un gatito indefenso en el jardín del patio trasero.

A los gatos les gusta marcar su territorio con mensajes químicos, con los que advierten a sus semejantes de que la zona en cuestión está «prohibida». La forma

◆ IZQUIERDA
El gato del bosque noruego está dotado de un cálido pelaje que le protege de los duros inviernos de su tierra natal, el norte de Escandinavia; este animal es, además, un excelente trepador, aun para los cánones felinos.

◆ ABAJO
La forma más evidente que usa un gato para marcar su territorio es rociarlo con orina, tal como muestra sin complejos este gato siamés.

◆ ARRIBA
A los gatos les gusta marcar sus «propiedades» con su olor, lo que pueden hacer de muchas formas. Las glándulas que tienen detrás de las orejas exudan el olor particular de cada gato, aunque imperceptible para nosotros. La mujer de la fotografía ha sido considerada merecedora de ser «marcada» de la forma que se ilustra.

más común de marcarlo consiste en dispersar orina concentrada por los límites del territorio. A los seres humanos este hábito nos resulta de lo más desagradable; sabemos que, normalmente, lo practican los machos: una razón más para esterilizarlos. Sin embargo, también las hembras sin castrar, sobre todo cuando están en celo, y algunos machos castrados siguen esta práctica. Los gatos recluidos en casa durante los meses fríos de invierno probablemente distribuirán su orina en las cuatro esquinas del jardín cuando se les deje salir en primavera. Las heladas habrán borrado todo rastro de las marcas territoriales anteriores, y el gato definirá así «los límites» de su territorio antes de que algún intruso reclame esa zona para él.

Mientras toda esta actividad tenga lugar fuera de la casa no nos afectará demasiado; solo cuando un gato empieza a marcar nuestra propia vivienda tal costumbre se nos hace socialmente inaceptable, aunque para un felino tenga todo el sentido. No es habitual que gatos esterilizados y bien adaptados, integrados socialmente, nos mojen la casa, pero a veces ocurre.

La razón más frecuente que explica esta conducta es que se haya introducido en la casa a otro felino. El primer gato ve al nue-

vo como una amenaza y marca su espacio con su propio olor. Este problema puede darse incluso si se trae a casa un mueble de segunda mano que huela a otro gato; el instinto del nuestro será rociarlo con su orina hasta asegurarse de que ha quedado marcado suficientemente como parte de su propio territorio.

Los gatos marcan también el territorio y dejan mensajes químicos de otra forma más aceptable. Estos animales poseen glándulas que segregan un olor característico en varias zonas de su cuerpo, en particular detrás de la cabeza. Cuando un gato restriega la cabeza contra la pierna de una persona, en realidad la está marcando; el mensaje que deja va dirigido a otros gatos, y podría traducirse aproximadamente «este es mi humano; mantente lejos de él». Por la misma razón, los gatos se frotan contra objetos domésticos como los muebles, para marcar sus posesiones, aunque de manera inofensiva.

♦ IZQUIERDA
Incluso los gatos domesticados sin esterilizar sentirán la necesidad de patrullar por su territorio, a menudo dejando rastros de orina para advertir a otros machos que se mantengan alejados de su «feudo».

♦ ARRIBA
Los gatos tienen glándulas odoríferas también en sus zarpas, y cuando arañan un árbol para afilarse las uñas dejan al mismo tiempo mensajes a otros felinos.

Esta misma conducta puede observarse fuera, en el jardín, si bien aquí adopta más bien la forma de una conversación entre vecinos que se dejan mensajes químicos mutuos a modo de «comunicados personales». Restregándose contra muros, árboles y vallas, el gato puede hacer saber a la población local de sus congéneres lo que está pasando: *Susie* está en celo en este momento, o *Sam* acaba de ser esterilizado. Incluso cuando un gato se afila las uñas en un árbol, deja tras de sí un mensaje transmitido por las glándulas situadas entre las zarpas.

Los gatos macho salen de ronda, sobre todo por la noche, en busca de una gata, pero la hembra en celo hará tanto o más ruido que ellos. Durante estas correrías nocturnas son más que probables las riñas

♦ ABAJO
Este gato está interpretando un «mensaje» que otro felino ha dejado en el muro.

LENGUAJE CORPORAL

Un gato asustado o intimidado intentará parecer más grande a los ojos de su agresor, para ello encrespa su pelaje, sobre todo la cola.

En posición de ataque, el gato adopta una postura agresiva: eriza los bigotes, tensa los músculos y se agacha presto para saltar.

Un gato que rueda sobre sí mismo y expone la parte más vulnerable de su anatomía, la zona del estómago, muestra sumisión al agresor.

INSTINTOS DE CAZA

Agazapado, el gato vigila a su presa.

Se acerca sigilosamente.

Aparece de repente y salta listo para matar.

Misión cumplida: el gato ha dado caza al ratón.

entre felinos, ya que han salido a conseguir lo mismo: una hembra para aparearse. Para mantener la paz con los vecinos y evitar costosas visitas al veterinario, la mayoría de los dueños de gatos de compañía optan por esterilizarlos y no los dejan salir de noche.

EL GATO EN LAS CASAS DE HOY

Aunque solemos considerar que los gatos son mascotas domesticadas, no está tan claro que sea así. Por muchas que sean las limitaciones que les impongamos, siguen siendo gatos y siempre conservarán restos de instintos salvajes. Podremos esterilizarlos, encerrarlos en casa para su seguridad y alimentarlos bien, pero no perderán su instinto errante y querrán salir de caza aunque justo acaben de comer. Esto es algo que no podemos cambiar; aunque, si le pregunta a cualquier amante de los gatos, y este le responde con sinceridad, le dirá que en realidad no quiere cambiarlos. Parte del encanto de vivir con un gato es que nos ofrece la mejor ocasión que tendremos jamás de compartir el hogar con una pequeña criatura salvaje. Quien busque un compañero fiel, formal, obediente y bien educado debería preferir un perro. Pero si quiere un amigo para toda la vida que le muestre afecto, le haga compañía y perciba instintivamente su estado de humor sin perder una pizca de independencia, será mucho mejor que opte por un gato.

◆ DERECHA
Los gatos son criaturas de costumbres y creen seriamente en la necesidad de una siesta en las tardes de los meses más calurosos; este sensible animal ha escogido una zona umbría para echar un sueñecito.

◆ IZQUIERDA
La especie felina es muy maniática e invierte gran parte del día en acicalarse para conservar su pelaje impoluto.

SENTIDOS DE LOS GATOS

Como cazadores nocturnos naturales que son, los órganos sensoriales de los gatos han evolucionado hasta un grado de gran complejidad. Los sentidos no solo les sirven como ayuda para la caza, sino que también les permiten ponerse a salvo de los depredadores. Aunque la mayoría de los gatos hoy en día viven en entornos domésticos y seguros, aún conservan muchas de las características que desarrollaron cuando necesitaban cazar para comer y la supervivencia diaria era parte importante de su forma de vida.

VISTA

No es verdad que los gatos puedan ver en la oscuridad; sin iluminación no ven mejor que nosotros. Sin embargo, sí es cierto que cuando la luz es débil su visión es más aguda que la nuestra. El ojo de los felinos tiene una constitución diferente al humano: el globo ocular es más redondo, el cristalino y la córnea están más próximos a la retina, lo que permite a estos animales enfocar con más precisión que el hombre; así, la pupila puede dilatarse bastante más y permite que llegue más luz a la retina en condiciones de tenuidad; la posición de los ojos, más separados que los nuestros, hace que el gato tenga un campo de visión más amplio.

OÍDO

Aunque el tamaño de las orejas de los felinos muestra considerables variaciones, estos órganos siempre están situados sobre la cabeza y no a los lados de la cara, como en el hombre y en los monos. El órgano externo del oído, el pabellón de la oreja, se mueve para localizar la dirección del sonido. El oído externo tiene cámaras de resonancia mayores, por lo que el gato es capaz de detectar sonidos imperceptibles para los seres humanos, como los emitidos por las frecuencias muy altas y muy bajas.

✦ ABAJO
A la luz brillante, las pupilas de los gatos se contraen hasta convertirse en estrechas rendijas. De igual forma, cuando la luz es tenue pueden dilatarse en mucha mayor medida que en el hombre. Por esta razón, los gatos ven mejor con intensidades de luz muy bajas.

✦ ABAJO
Dispuestas encima de la cabeza, y no a los lados de la cara, las orejas de los gatos son móviles, por lo que estos animales pueden dirigirlas para localizar los sonidos. El oído externo tiene un tamaño variable según las especies, y es bastante grande en la raza siamesa.

No está claro cómo y por qué ronronean los gatos; lo cierto es que nadie ha identificado científicamente las razones de este fenómeno genuinamente felino. Dejamos aquí algunas ideas para la reflexión.

Se piensa que el ronroneo del gato es el resultado de un impulso eléctrico generado por el cerebro, transferido desde allí y conducido por el sistema nervioso central, que hace que ciertos músculos, en particular los situados cerca de la caja fonadora, se contraigan y resuenen. El resultado final, el ronroneo, se siente como una vibración en todo el cuerpo, audible sobre todo en la nariz y la boca.

Por qué ronronean los gatos es una historia diferente, y también se han propuesto varias teorías:

- *Les ayuda a aumentar la eficacia de su sistema respiratorio y a mantenerse sanos.*
- *Un ronroneo suave es una petición, y uno agudo es un mensaje de agradecimiento para señalar que el gato ha recibido lo que esperaba, normalmente comida.*
- *Es una señal tranquilizadora que envía la madre a sus cachorros.*
- *Es también una señal de los gatitos a la madre.*
- *Un gato dominante ronroneará a otro sometido para demostrarle que no lo va a atacar.*
- *Los gatos ronronean cuando están asustados o van a ser atacados para decir que son criaturas pequeñas e indefensas que no suponen ninguna amenaza.*
- *Los gatos enfermos, débiles o heridos ronronean para sentirse mejor y decir a los otros que se encuentran mal.*
- *El ronroneo es una señal de que el gato está contento, a gusto, complacido; esta es tal vez su motivación más corriente, una respuesta que suscribirían casi todos los gatos. Ronronea y tu dueño probablemente te dará lo que quieres, aunque sea el último bocado de la cena: los gatos no son tontos.*

OLFATO

La nariz de los felinos tiene receptores olfativos, órganos extraordinariamente desarrollados que son capaces de detectar concentraciones minúsculas o extremadamente bajas de sustancias en el aire. Luego transmiten la información que reciben a los lóbulos olfativos del cerebro, donde los olores son reconocidos y desencadenan la consiguiente reacción. Los lóbulos olfativos de los animales son físicamente más grandes, en proporción, que en el hombre.

FLEHMEN

El flehmen es una reacción que se observa en muchos mamíferos, consiste en curvar los labios hacia atrás para que lleguen al órgano de Jacobson más olores químicos susceptibles de ser registrados. Este órgano, formado por dos estructuras saculares huecas muy sensibles, se sitúa en el paladar y, en los gatos salvajes, proporcionan un procedimiento más para conocer el «estado de la situación» y la posible presencia de depredadores al acecho. En el gato doméstico no tiene una importancia vital como en sus hermanos salvajes, y por eso la reacción del flehmen no es tan evidente.

✦ ARRIBA
Un gato merodeador usa su refinado sentido del olfato para localizar los olores de otros felinos.

✦ IZQUIERDA
Se llama flehmen a la reacción por la cual un gato curva sus labios hacia atrás para aspirar ciertos aromas y olores químicos dejados por sus congéneres con más eficacia hacia el órgano de Jacobson. Este órgano está situado en el paladar y lo tapizan células olfativas conectadas con la parte del cerebro que rige el comportamiento sexual y el apetito.

DÓNDE ENCONTRAR UN GATO Y CÓMO ELEGIRLO

De raza o sin pedigrí, cachorro o adulto, recogido o criado deliberadamente, de pelo corto o largo, de un cierto color o un cierto dibujo. ¿Qué opción tomar? Una vez que se haya decidido por tener un gato, las posibilidades que se le presentan son casi inabarcables. Recuerde que la elección de un gato es un compromiso para muchos años, así que lea este capítulo con calma e interés antes de decidirse.

✦ ARRIBA
Los lindos y simpáticos gatitos maduran muy deprisa para convertirse en adultos; un dueño responsable debe dedicarles el tiempo y el esfuerzo que se merecen. Los gatos persas de pelo largo son mascotas muy atractivas y cariñosas, pero su tupido pelaje exige un cuidado diario.

✦ DERECHA
Una vez apartados de su madre, hasta los cachorros más diminutos deben ser peinados por sus nuevos dueños con regularidad.

Antes de tomar una decisión en firme sobre si comprar o no un gato le conviene tener en cuenta algunas cosas. No olvide que su vida con un gato durará mucho tiempo, pues este animal puede vivir veinte años o más, tanto como lo que permanecen los hijos en el «nido» de los padres. Casi todo el mundo se lo piensa muy bien antes de formar una familia, y no hay motivo por el que la adopción de un gato no deba considerarse también con todo detenimiento. Ese lindo y simpático cachorrillo comprado impulsivamente pronto crecerá para convertirse en adulto. Necesitará vacunas anuales, habrá que esterilizarlo cuando tenga entre seis y nueve meses y, probablemente, necesitará algún tratamiento cuando se ponga enfermo. Los cuidados médicos para gatos no son gratuitos; algunas organizaciones de defensa de los animales tal vez le ayuden en algún caso concreto, pero piense que, en general, un veterinario es tan caro como un médico privado.

Por otra parte, alguna vez querrá irse de vacaciones, y los buenos hoteles para gatos no son precisamente económicos. Tengo dos amigos ingleses con ocho gatos que solían visitar a su hijo en Australia todos los años; para ello, tenían que ahorrar para tres billetes de vuelta, ya que el coste de dejar a sus gatos al cuidado de profesionales equivalía al de un billete de Sidney a Londres. Si pensar en lo que cuesta no le quita de la cabeza la idea de tener un gato, siga leyendo.

Todos los gatos requieren ciertos cuidados, y más aún si son de pelo largo. Los llamados de pelo corto necesitan que los peinen y los cepillen a menudo, pero los de pelo largo precisan una limpieza minuciosa durante al menos quince minutos diarios para que no se les enmarañe el pelo. Esto se aplica tanto a los gatos sin pedigrí como a sus parientes más aristocráticos.

Es muy tentador regalar gatos a los niños, sobre todo en Navidad, en especial si son cachorros. Son estos gatitos los que, con mucha frecuencia, terminan por convertirse en los felinos abandonados que hemos de rescatar luego de las protectoras de animales en enero. La decisión de compartir la casa con un gato debe tomar-

LOS GATOS Y LOS MAYORES

Los gatos pueden ejercer un gran efecto terapéutico sobre sus dueños, sobre todo si estos son ancianos. Se ha demostrado que el tranquilizador ronroneo del animal, estimulado por suaves palmaditas, reduce la presión arterial y evita así problemas cardíacos. Al demandar su atención, el gato ayudará a su propietario a mantenerse activo, a levantarse del sillón para, por ejemplo, prepararle una buena comida.

◆ ABAJO
Si su familia no cree importante tener los gatos desde cachorros, considere con calma la posibilidad de recoger un animal adulto de una protectora. Tal vez le cueste un poco aclimatarse, ya que tendrá más arraigadas sus costumbres, pero le mostrará agradecimiento con su amistad y su compañía.

◆ ARRIBA
Los gatos y los niños pueden ser excelentes compañeros. Sin embargo, antes de comprar un gato o un cachorro, es importante que toda la familia conozca las responsabilidades y las obligaciones que ello conlleva.

se únicamente después de haberlo hablado con toda la familia. Habrá que determinar quién limpiará la bandeja sanitaria, quién alimentará al animal, quién se hará responsable de él y pagará las facturas.

La Liga por la Defensa Canina del Reino Unido regala unas pegatinas que dicen: «Un perro es para toda la vida, no solo para Navidad». Eso mismo debería aplicarse a los gatitos: *nunca* regale un cachorro de gato a alguien sin consultarle antes; tal vez le gusten los gatos, pero no quiera tomar la responsabilidad de cuidar a uno propio.

Si sigue absolutamente convencido de asumir la responsabilidad moral y el gasto de tener un gato, debería decidir el tipo que quiere: de raza o sin pedigrí, adulto o cachorro. Hay muchas maneras de adquirir un gato de forma responsable, así que, si está totalmente convencido de que quiere uno, considere las distintas posibilidades.

Primero, unas palabras de advertencia. El lugar más a mano para comprar una mascota es la tienda de animales de su localidad. Pero aunque estas tiendas son lugares muy adecuados para conseguir todos los accesorios necesarios para su amigo felino, difícilmente pueden considerarse el mejor entorno posible para el desarrollo de una cría. Para venderlo antes, el gatito de la

¿UN GATITO O DOS?

Analice bien su modo de vida y su horario de trabajo. ¿Su vivienda está vacía la mayor parte del día, o suele haber alguien en casa? A ninguna criatura le gusta que la dejen sola todo el día, así que si trabaja fuera tal vez sea preferible tener dos gatitos, para que se hagan compañía. También se sentirán menos solos si tiene que buscarles acomodo cuando salga de vacaciones. Un gatito aburrido puede arañar las alfombras y las cortinas cuando el amo se encuentra fuera, y no digamos las plantas y los adornos de la casa; dos gatos jugarán juntos y le ahorrarán los gastos derivados de tener que arreglar los muebles y reponer los adornos. Nadie esperaría que un niño que empieza a andar se comporte perfectamente. ¿Por qué pensar que lo haría un cachorro de gato?

Para los dueños que permanecen fuera todo el día pero siguen queriendo tener un gato la opción más sensata y responsable es tener dos mininos, preferiblemente de la misma camada (ARRIBA).

Así estarán menos nerviosos cuando conozcan su nueva casa y se harán compañía mientras vayan creciendo (ABAJO).

tienda habrá sido separado de su madre demasiado pronto cuando todavía no tiene edad para salir adelante o para vacunarlo. Esta situación lo hace particularmente vulnerable a las enfermedades infecciosas, de lo que resultarían cuantiosas facturas del veterinario o incluso la muerte. Los gatitos de raza de las tiendas de animales suelen provenir de criadores codiciosos que han saturado su reserva. A ningún criador de gatos acreditado se le ocurriría vender sus crías a estas tiendas.

GATITOS SIN PEDIGRÍ

Los gatos corrientes abundan en tal multitud de formas, tamaños, estilos, colores y longitud del pelo que elegir resulta todo un problema. Muchos presentan un aspecto sumamente atrayente y, como su padre a menudo es desconocido, tal vez incluso tengan cierto pedigrí de base.

Los gatos sin pedigrí pueden tener un amplio abanico de colores, longitud del pelo y estilos del pelaje. Los lustrosos gatos negros (DERECHA) siempre han sido muy populares y valorados, mientras que la pequeña cría de gato pardo blanco y castaño rojizo y ojos de distinto color de la PÁGINA ANTERIOR tiene un instantáneo poder de seducción.

Los cachorros crecen con rapidez, y en unas semanas parecen otros. A las ocho semanas (DERECHA), el pelaje lanoso y suave y la expresión infantil son muy perceptibles, pero apenas cuatro semanas más tarde (MÁS A LA DERECHA) el minino parece ya una versión en miniatura del adulto en que se convertirá. Con doce semanas de vida, el gatito está listo para las vacunas.

La manera más fácil de encontrar un minino es el boca a boca. Durante los meses de verano suele haber muchos cachorros en busca de un nuevo hogar pero, por suerte, no tantos como antes. Algunas protectoras de animales ofrecen subvenciones para esterilizar gatos en el veterinario de la localidad; en algunos casos llegan a hacerse cargo del importe total de la factura. Estas iniciativas responden a un intento por controlar la población de gatos no deseados, por lo que los compradores responsables tienen a su disposición un menor número de estos felinos. Otros lugares para encontrar gatos que en venta son los anuncios de prensa en la sección de «animales», las protectoras que saben de cachorros que buscan casa, o la mayoría de las clínicas veterinarias.

La edad a la que un gato corriente llega a su nueva casa puede variar, pero nunca debería superar las ocho semanas. En ese tiempo, el gatito, aunque todavía no es del todo autosuficiente, ya se sostiene bien sobre sus patas. Pero, al no tomar ya leche materna, que contiene anticuerpos de protección, posiblemente habrá dejado de ser inmune a las infecciones, así que a las seis semanas su vulnerabilidad será máxima al carecer de defensa contra las enfermedades; la mayoría de los veterinarios administran todas las vacunas importantes a las doce semanas. Sin embargo, si en la casa que recibe al cachorro no viven otros ga-

tos o perros, traerle a las ocho semanas es una opción razonablemente segura, siempre y cuando no salga de casa hasta que tenga la edad suficiente para haberlo vacunado. Cuando no pueda aplicarse este criterio, lo mejor es que el gatito permanezca con su madre hasta las doce semanas.

CACHORROS CON PEDIGRÍ

Los gatos de raza son caros, y no sin motivo. El coste de comprar una hembra de raza y pagar el pedigrí son únicamente los primeros de los muchos gastos que tendrá (*vea* «Cría de gatos»).

Hay más de un centenar de razas para elegir, y cada una presenta distintos colo-

✦ A B A J O
No solo los gatos callejeros buscan casas donde vivir; a mayoría de los clubes de criadores tienen animales ya adultos de la raza que se desee en busca de un nuevo hogar.

ENTIDADES PROTECTORAS

Son tantos los gatos abandonados que necesitan una casa que tiene sentido elegir el nuestro en una protectora de animales. Allí no solo hay gatos callejeros. En el Reino Unido, todos los clubes de criadores afiliados al Governing Council of the Cat Fancy (GCCF) han designado a una persona responsable de buscar nuevos hogares a los felinos, así que si desea conseguir un gato de una determinada raza, consulte con alguno de esos clubes. En otros países no existe algo equivalente, aunque cualquier club podrá aconsejarle. Si decide adoptar un gato de una protectora, prepárese a someterse a un interrogatorio de tercer grado. Ningún servicio de estas características permitirá que un animal deje sus instalaciones si el responsable no está absolutamente convencido de que va a ir a un hogar que

lo acogerá durante el resto de su vida, y de que no regresará al centro al cabo de unas pocas semanas. Tal vez las preguntas le parezcan tan estrictas como si fuera a adoptar un bebé. El responsable de conceder el permiso podría incluso visitar su casa para asegurarse de que es la adecuada y hacerle un seguimiento durante unas semanas para verificar que el gato se ha adaptado bien a la familia.

Estos centros realizan su trabajo gracias a donativos, por lo que debería prepararse para rascarse el bolsillo. Cualquier gato entregado en estas condiciones habrá sido examinado por un veterinario, estará esterilizado y se le habrán puesto las vacunas pertinentes. Todo esto cuesta dinero. Lo más importante es que estos gatos encuentren un hogar acogedor y permanente, pero si puede permitírselo, dé un donativo al centro.

Las protectoras de animales tienen a menudo una gran cantidad de gatos espléndidos y sanos listos para la adopción (ARRIBA).
Esta gata, tuerta pero hermosa (IZQUIERDA), vivió una infancia llena de privaciones. Desatendida y abandonada, tuvo una enfermedad que le ulceró el ojo y hubo que sacárselo. El paso de los meses, mucho cariño y un buen tratamiento, la han convertido en un animal del que su dueño se siente orgulloso, y con razón.

res y dibujos. Si no tiene una idea clara sobre la que prefiere, busque alguna guía en una biblioteca sobre la cría de gatos. Cada raza es intrínsecamente diferente, y no solo en el aspecto, sino también en el carácter. Dentro de las razas, algunas variaciones de color implican temperamentos ligeramente distintos. Después de leer todo lo que pueda sobre las distintas variedades (recuerde que no es posible conseguir todas las razas de gatos en cada país), lo siguiente que debe hacer es ver gatos. Una visita a una exposición felina le brindará la ocasión de contemplar una amplia variedad de razas.

En la muestra, seguramente podrá decidirse por la raza que más le guste. En Estados Unidos es posible comprar directamente los gatos en las exposiciones. Sin embargo, en otros países tales muestras son tan solo un escaparate comercial, no hay posibilidad para comprar. De todas formas, lo normal es que pueda entrar en contacto con los criadores que le interesen. En caso contrario, tal vez conozca a alguien que tenga un gato de la raza que busca, quien podrá recomendarle un criador de confianza. Si no le es posible, pregunte en el club de criadores adecuado, que le dará

una lista de los cachorros disponibles y de las referencias para conseguirlos (a veces los organismos oficiales proporcionan esta información). Las revistas especializadas ofrecen anuncios de cachorros de raza a la venta; también lo hacen a veces los periódicos locales. Recuerde que algunas razas son más raras que otras, y tal vez tenga que esperar algunos meses hasta obtener un gatito, o incluso viajar bastantes kilómetros para ver la camada. No olvide que los gatos de las exposiciones no siempre se comportan como lo harían en casa, por lo que es muy importante visitar a un criador para conocer realmente el carácter de su raza preferida en su entorno antes de tomar una decisión.

Organice sus visitas para no ir a más de un centro al día, ya que es fácil trasladar infecciones de una instalación a otra. Antes de tener un primer contacto con el criador concierte una cita por teléfono. Es probable que entonces le hagan muchas preguntas, aunque únicamente para que las dos partes se aseguren de que no están perdiendo el tiempo. La cría de gatos es, en el fondo, una afición, no un negocio; casi todos los criadores tienen un hogar, una familia y una profesión, además de sus gatos,

y tal vez estén más ocupados que la mayoría de nosotros.

Es una muestra de educación informar al criador de cuántas personas iremos a la cita concertada y, si por alguna razón, nos vamos a retrasar o nos será imposible acudir, debemos telefonearle para decírselo. Procure no planear la visita como una excursión al zoológico, ni lleve consigo a toda la familia; piense que va a acudir al hogar de un extraño. Para una primera visita sería suficiente ir con su pareja, deje a los niños en casa. No se quede más tiempo del conveniente, y aunque tenga muchas pre-

✦ ABAJO

Si visita a un criador podrá contemplar una escena como esta, una madre con sus crías. Sin embargo, lo normal es que no le dejen tocar a los cachorros, que todavía no han sido vacunados y son vulnerables a infecciones.

✦ DERECHA

Estos gatitos han vivido desde que nacieron en la casa del criador y están acostumbrados al ambiente de una casa. Si se hubieran criado en el exterior les habría llevado bastante más tiempo habituarse a un entorno doméstico.

Aunque imperceptibles para un dueño novel, entre un gato de exposición y uno destinado a animal de compañía hay muchas diferencias sutiles, aunque en todos los aspectos el segundo seguirá mostrando la mayoría de las características típicas de su raza. El gato chinchilla de la IZQUIERDA *tiene la forma, el color y la longitud del pelo correctos, pero las orejas son demasiado grandes y la nariz excesivamente larga. Sin embargo, al cachorro de la misma raza de* ABAJO A LA DERECHA *le espera el éxito en las exposiciones felinas. Las diferencias entre ambos son poco importantes, pero un juez sabrá sin duda apreciarlas.*

guntas, intente hacer las mínimas. Si está seguro de que quiere comprar un cachorro, tendrá todas las oportunidades del mundo para asesorarse más adelante. Tenga en cuenta que ningún criador que se precie le dejará llevarse un gatito a casa después de la primera visita, solo es una toma de contacto.

Si, en el primer encuentro, hay gatitos en la casa, no se sorprenda si no le dejan que los toque o si le piden que se lave las manos. Esta petición no refleja ninguna duda sobre su higiene personal, simplemente es una precaución contra las infecciones. Sin embargo, sí podrá valorar el estado general de los gatos y sus crías, para decidir si es esa la raza que más le gusta. Probablemente le pedirán que se lo piense una semana antes de tomar una decisión. Luego, el criador le invitará de nuevo a su casa, esta vez con otros miembros de su familia, en particular con los niños. Algunos niños pequeños se portan muy bien con los gatos, pero otros, sobre todo los que no los conocen, pueden tratar a las crías como juguetes y ser muy bruscos con ellos. Muchos niños pequeños se sienten especialmente fascinados por los ojos de estos felinos, y sin querer podrían darles un golpe y dañarles la vista. Si sus hijos son muy revoltosos, no se ofenda si el criador

se niega a venderle un cachorro; espere un año o dos hasta que crezcan un poco y sepan apreciar que los gatos son criaturas vivas con su propia personalidad y han de ser tratados con el respeto que se merecen.

Si todo va bien, es probable que le pidan que deje algo en depósito por el gatito, con lo que usted estará seguro de que se lo reservan y el criador sabrá que sus intenciones son honestas. Estas fianzas son recuperables por razones comprensibles, como enfermedad o cambio de circunstancias, pero cuando lo único que hay es un cambio de parecer lo normal es que se pierdan. El gatito le había sido adjudicado, y si luego usted no cumple su compromiso el criador tendrá que hacer frente al gasto adicional de tenerle con él más tiempo y, tal vez, de volver a poner anuncios.

Desde el principio es importante decirle al criador el motivo por el que se quiere comprar un gato: si es simplemente como mascota, si es para participar en exposiciones, o incluso para dedicarse a la cría. A ningún criador le hace gracia ver un ejemplar de su camada exhibido en una muestra pública sin su conformidad, ya que tendría consecuencias para él y para su programa de cría. En el Reino Unido es probable que los cachorros no adecuados para la cría se hayan inscrito en un registro

de animales no activos, lo que prohíbe su crianza sin el consentimiento por escrito de los criadores ante el GCCF. En otros países no existe tal registro, aunque sí puede anotarse en la hoja de venta de un gato «no apto para la cría», o registrarlo como esterilizado después de haber procedido a la operación pertinente.

No olvide que un gatito destinado a animal de compañía de la raza escogida será, en definitiva, el mismo que el reservado a exposiciones o a la cría, pero puede tener algún pequeño defecto, como una cola enroscada o una mandíbula ligeramente desplazada que impediría su triunfo ante un jurado. Seguramente, estos rasgos no se querrán perpetuar en un programa de cría.

Cuesta lo mismo criar a cualquier clase de cachorro, por lo que muchos criadores cobran lo mismo por un ejemplar para ex-

posición o cría que por uno destinado a simple mascota. Otros, en cambio, establecen una diferencia, y venden más caros los primeros que los segundos. Al fin y al cabo, todos los gatos son animales de compañía y, si pretende presentarlos a algún concurso, debe considerarlo como un valor añadido, porque el carácter y el temperamento del gato serán los mismos por mucho valor que tenga en los criterios de selección.

Cuando vaya a recoger a su gatito, debería tener al menos doce semanas y estar desparasitado y vacunado. Hágase con una caja robusta para transportar gatos. Seguramente será la primera vez que el animal viaje en coche, autobús o tren, y esta experiencia puede resultarle aterradora, así que se sentirá mucho más seguro metido en una caja.

Antes de marcharse, el criador debería darle lo siguiente:

- Certificado de vacunaciones.
- Pedigrí de cuatro generaciones, como mínimo.
- Documento de transferencia.
- Hoja de dieta, con los horarios y los tipos de comida a los que está acostumbrado el cachorro.

QUÉ SE BUSCA EN UN GATITO

Sea cual sea su preferencia, de raza o sin pedigrí, el gatito deberá estar bien adaptado, sano, feliz y cariñoso.

La principal diferencia entre los gatos con y sin pedigrí es que de los primeros se sabe quiénes son los padres. En cierta medida, la salud y el temperamento se heredan, así que si se conoce al padre y a la madre, y se les ha observado, se tendrá una idea bastante aproximada del carácter que tendrá la cría cuando crezca. Todos los cachorros deberían estar acostumbrados a los ruidos de una casa: el lavaplatos, las lavadoras, las aspiradoras y la televisión no deben asustarlos.

Tenga cuidado al comprar un gatito que haya sido criado al aire libre, porque le costa-

✦ ABAJO
Si va a comprar un gato de raza, seguramente lo habrá visitado siendo casi recién nacido en la casa de su criador y habrá conocido a sus padres. Muchos de los rasgos de un gato tienen base genética, por lo que si los padres del animal están sanos y tienen buen carácter, es probable que su progenie muestre esas mismas cualidades.

✦ ARRIBA
Cuando vaya a recoger al cachorro a las instalaciones del criador, provéase antes de una buena caja para transportarlo de modo que el animal se sienta seguro durante el viaje a su nueva casa.

SENCILLOS EXÁMENES DE SALUD

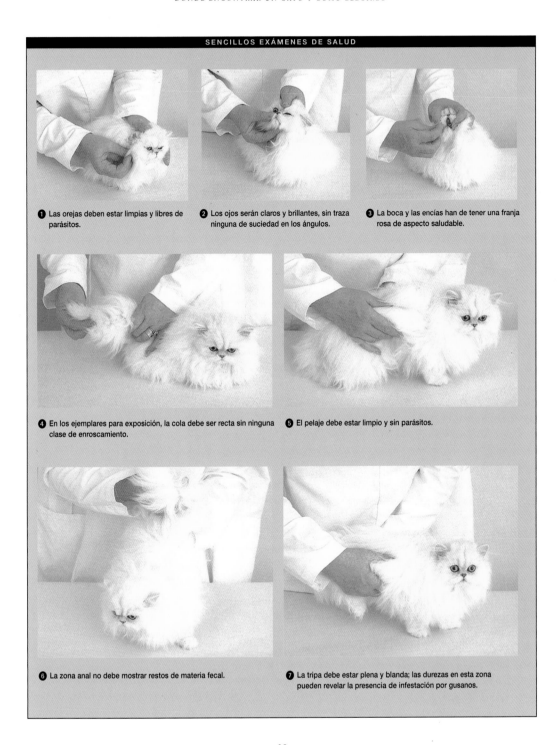

1 Las orejas deben estar limpias y libres de parásitos.

2 Los ojos serán claros y brillantes, sin traza ninguna de suciedad en los ángulos.

3 La boca y las encías han de tener una franja rosa de aspecto saludable.

4 En los ejemplares para exposición, la cola debe ser recta sin ninguna clase de enroscamiento.

5 El pelaje debe estar limpio y sin parásitos.

6 La zona anal no debe mostrar restos de materia fecal.

7 La tripa debe estar plena y blanda; las durezas en esta zona pueden revelar la presencia de infestación por gusanos.

♦ ARRIBA
Desconfíe de los gatos que se asustan de los hombres. Al no estar acostumbrados a la vida doméstica, les llevará más tiempo habituarse al nuevo hogar y habrá que tratarlos con mucha paciencia y cariño para facilitarles la adaptación.

rá más tiempo adaptarse al entorno extraño para él de una casa normal. Intente que el cachorro elegido proceda de una situación familiar semejante a la suya; por ejemplo, si ya tiene un perro, busque un gatito que se haya criado con perros y esté habituado a ellos. Lo mismo puede decirse de los niños pequeños y los bebés. Para las crías de gato, el cambio a un hogar diferente ya es de por sí una experiencia traumática, sin necesidad de que haya nuevas criaturas con las que competir.

Algunos consejos para conocer la salud y el carácter de un gato:

- Los cachorros deberían estar acostumbrados a que los manejen desde pequeños, y no tendrían que asustarse.

- Si el gato bufa cuando usted se le acerca, o parece retraído y nervioso, será mejor que busque su mascota en otra parte.
- Los gatitos deben tener los ojos brillantes y el pelaje limpio, sin signos de parásitos.
- La tripa ha de estar rolliza pero blanda; cualquier dureza podría señalar la presencia de lombrices.
- Las orejas también tienen que estar limpias; los depósitos oscuros de cera tal vez indiquen que el gato tiene ácaros.
- Mire la bandeja sanitaria de los gatos: ¿está bien limpia? Un olor intenso y excrementos líquidos podrían indicar la existencia de alguna infección.

ADAPTACIÓN DEL GATO O LA CRÍA A SU NUEVA CASA

Antes de recoger a su gato adulto o cachorro, cerciórese de que se ha hecho con todo el equipo necesario. No deje esta tarea para el último momento, no se arriesgue a encontrar la tienda cerrada: los barreños de lavar o las bandejas del horno son alternativas mucho más costosas que una bandeja sanitaria normal, aunque pueden servir en caso de necesidad.

Los elementos básicos necesarios para empezar son:
- Bandeja sanitaria.
- Arena u otros residuos para la bandeja y cuchara sanitaria.
- Comedero y bebedero.
- Comida.
- Cesta para dormir y cama.
- Jaula de transporte.
- Arañadores y juguetes.
- Collar e identificación.

El mejor momento para introducir a un gato en casa es cuando se tiene bastante tiempo libre y hay pocas personas. Casi todas las crías se adaptan con rapidez, pero introducir un gato adulto en un nuevo entorno puede llevar un tiempo. Si trabaja durante el día, intente tomarse algunos días libres junto con el fin de semana para poder pasar más tiempo con su gato. Si tiene niños, lo mejor será acostumbrar al gatito a la casa cuando estén en el colegio.

continúa en pág. 41

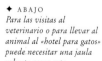

✦ ARRIBA
*Se necesitan recipientes
separados para comedero
y bebedero; los modelos de
plástico son probablemente
los más útiles.*

✦ ARRIBA
*Si no deja salir
fuera al gato,
necesitará una
bandeja sanitaria;
los modelos cerrados
impiden que la
suciedad se disperse
por el suelo.*

✦ ARRIBA
*Si quiere que el gato salga
fuera es muy importante
que lleve un collar.*

✦ ARRIBA
*El gato debe tener
su propia cama; este
modelo forrado con
piel no se saldrá del
presupuesto.*

✦ ABAJO
*Para las visitas al
veterinario o para llevar al
animal al «hotel para gatos»
puede necesitar una jaula
robusta como esta.*

✦ DERECHA
*Un arañador para
el gato le ahorrará no
pocos estropicios en
los muebles; este
modelo tiene una
bola pendular que
lo hace todavía
más atractivo
para el juego.*

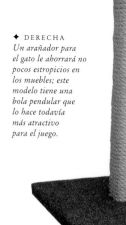

LOS GATITOS Y EL JUEGO

◆ ABAJO
Los juguetes con aroma de hierbabuena o similar a menudo despiertan reacciones salvajes en un gato doméstico.

◆ ARRIBA
Este juguete en forma de «araña» hecho con un pequeño ovillo de lana y alambres forrados de tela es objeto de una minuciosa inspección. Un tironcito de la cuerda hará que se mueva y despertará el instinto depredador del cachorro. Juguetes como este deben ofrecerse bajo estricta vigilancia, ya que si el animal mordiera las barritas podría hacerse daño.

A los gatos pequeños les encanta jugar, algo que es mucho más que un mero placer para su desarrollo. El juego exige el uso de todos los músculos del cuerpo y favorece un crecimiento y un desarrollo robustos y saludables. Dos gatitos jugarán juntos y felices, lo que facilitará además el trato social; asimismo, disfrutarán del estímulo añadido de los juguetes. Una cría de gato que esté sola necesitará juguetes si se quiere que tenga un buen desarrollo, tanto social como físico, y se convierta en un adulto sano y bien adaptado.

Un palo cubierto con cuerda u otro tejido le servirá como arañador, lo que sin duda agradecerán sus alfombras y sus muebles, al mismo tiempo el gatito desarrollará una función de lo más necesaria; mientras araña el palo, se limpiará y afilará las uñas. Con esta acción no solo ejercita

las garras y las patas, sino que también estira los músculos de las patas y del lomo, un hecho de gran importancia para el bienestar general del gato. Por otra parte, cualquier dueño de un gato debe pensarse dos veces si quiere extirparle las uñas, una operación deplorable que, por fortuna, está prohibida en algunos países.

Los juguetes, sobre todo los aromatizados con olores, despertarán gran excitación e interés en el felino y le ayudarán a ejercitar los lóbulos olfativos. Además, servirán de estímulo a un gatito encerrado en un entorno doméstico ya que estimulará las respuestas naturales que se despertarán en él cuando salga de caza. También le interesarán los juguetes que suenen, ya tengan pitos o cascabeles. Le ayudarán a mantener sus oídos atentos.

Como sucede con los niños pequeños, los juguetes sirven a los gatitos para mucho más que una simple diversión: forman parte del proceso tanto del aprendizaje como del crecimiento.

◆ ABAJO
Un palo con juguetes suspendidos incita al cachorro a jugar, a hacer ejercicio y a arañar; todas estas actividades son vitales para el bienestar de un gato.

◆ ARRIBA Y ABAJO
Los gatitos, como los niños, a menudo usan los juguetes de forma distinta a la que se había pensado. Este arañador tiene una bola aromatizada con hierbabuena pensada para que el gato la golpee y la haga oscilar atada de la goma. Sin embargo, este cachorro rebelde ha decidido otra cosa, e intenta desmontar la sujeción de la bola.

✦ DERECHA
Si ha optado por un gato adulto, tendrá que concederle mucho tiempo y atención para ayudarle a aclimatarse a su nuevo ambiente doméstico.

✦ ABAJO
Los gatos y los niños son compañeros de sueño ideales. Recuerde, no obstante, que esta costumbre es difícil de romper, y que el gato se sentirá con derecho a dormir en la cama el resto de su vida.

Antes de que llegue el gato, decida cuáles son los lugares más adecuados para poner la bandeja sanitaria y los recipientes para la comida y la bebida. Deje que el gato vea estos sitios en cuanto llegue (tal vez necesite la bandeja de inmediato); los accidentes siempre son posibles, y la tensión del viaje desde una casa a la otra tal vez haya hecho estragos en los intestinos del animal.

Piense también dónde y cómo dormirá el gato. A estos animales les gusta arrellanarse en el lugar más caliente de la casa y también les encanta la compañía, por lo que si les da la menor oportunidad, se le meterán en la cama. Las viejas costumbres son difíciles de romper; tal vez le tiente dejar dormir al gato en su cama la primera noche, o las dos primeras, pero si lo hace, en las semanas siguientes le costará trabajo convencerle de que no es ese el cuarto de dormir pensado para él y puede encontrarse con un peludo compañero de habitación para toda la vida. Si no quiere compartir su cama con el gato, déjeselo bien claro desde el principio. Prepárele una

✦ ABAJO
Hay camas para gatos en múltiples formas y tamaños; muchos de estos felinos prefieren las de tipo «iglú». Disponga la cama en una habitación cálida y confortable.

✦ ARRIBA
Cerciórese de que la bandeja sanitaria se encuentra en un sitio cómodo tanto para usted como para su familia, y déjela allí permanentemente. El gato se sentirá comprensiblemente confundido si se anda cambiando la bandeja de un lugar a otro dentro de la casa.

◆ ARRIBA
Los gatos son expertos en el arte de escaparse, y si saben que hay algo interesante al otro lado de una puerta harán todo lo posible por salir.

cama cómoda en su cesta, coloque en ella materiales blandos y adecuados, una bolsa de agua caliente y algunos juguetes; ponga la cesta en un lugar templado de la habitación, el que considere mejor para que el gato pase la noche, y cierre bien la puerta del dormitorio.

A los gatos no les gustan nada las novedades. Una vez que saben exactamente dónde encontrar la comida, la cama y la bandeja sanitaria no los cambie de sitio. No cierre nunca la habitación donde esté la bandeja, si no quiere que por la mañana el gato le despierte con estrépito.

Introduzca al animal de forma gradual en las zonas de la casa a las que está autorizado a entrar. Si desea prohibirle el paso a algunas habitaciones, déjeselo muy claro desde un principio: cierre las puertas. Una vez que el gato ha entrado en una habitación, si más tarde se encuentra la puerta cerrada maullará sin parar hasta que pueda volver a entrar, o arañará la alfombra.

El lugar donde el gato pasará más tiempo será la sala de estar, porque es la zona más utilizada por usted y su familia y, por tanto, será la primera que explore. Recuerde que su vivienda es un territorio extraño para un cachorro, que puede sentirse bastante asustado si se le expone de repente a una casa enorme llena de habitaciones. Introducir a un gato adulto, esterilizado o no, en un nuevo entorno puede despertar en él conductas instintivas, como salpicar el lugar con orina, que son difíciles de corregir.

Ya sea por un gato adulto o una cría, acostúmbrele poco a poco a la casa, habitación por habitación, durante varios días. Cuando vea que el gato se va sintiendo a gusto, podrá dejarle deambular libremente por el interior de la casa.

Procure tener al gato dentro de casa sin salir durante al menos una semana, aunque en el futuro vaya a permitirle ir al jardín. Los gatos son expertos en el arte de la evasión, así que deberá cerrar bien las puertas de salida de la casa y cerciorarse también de que las ventanas están cerradas. Le sorprendería saber lo pequeño que puede ser el agujero por el que caben los gatos. Si el suyo sale al exterior, tal vez sienta pánico en un vecindario desconocido y se pierda o, peor aún, sea atropellado.

PRESENTE A SU GATO A LOS DEMÁS ANIMALES DE LA CASA

Cuando lo lleve la primera vez a casa, el gato recién llegado se convertirá probablemente en el centro de atención. No por ello debe descuidar a otros animales que vivan con usted, porque podrían sentir celos del intruso y hacer más largo el tiempo de adaptación. Procure que todos reciban las mismas atenciones.

Si ya es dueño de un gato adulto y quiere tener otro minino, tal vez le lleve un tiempo conseguir que se adapten el uno al otro. Al principio, el adulto no recibirá bien al recién llegado y, si no aborda la situación con delicadeza, tendrá que aguantar no pocos maullidos y riñas. Las presentaciones deben hacerse poco a poco.

◆ DERECHA
*Al encontrarse la
puerta cerrada, este
gato ha saltado a una
superficie adecuada
y, sin desanimarse,
empieza a manipular
el pestillo.*

◆ IZQUIERDA
*Logrado su propósito,
el felino tiene ahora
libertad para explorar
el ancho mundo.
Si quiere impedir
que su gato salga
o curiosee dentro
de casa, mantenga
todas las puertas
y las ventanas bien
cerradas.*

LOS GATOS Y LOS NIÑOS

Si tiene niños, explíqueles que el gato recién llegado no es un juguete con pelo. Los niños suelen tratar bien a los animales, pero algunos se exceden en su entusiasmo y su excitación. Enséñeles el modo correcto de tratar a un gato; explíqueles que las colas no están hechas para tirar de ellas, y que la criatura merece un respeto. A sus niños les gustará jugar con los gatitos, pero procure que no sean demasiado bruscos con ellos; sus huesos son delicados, y se rompen fácilmente. Recuerde también que los gatos están bien dotados para defenderse; si el niño le molesta demasiado, el gato puede sacar las uñas y tal vez haya llantos antes de ir a la cama. Para evitar lesiones en los ojos, conviene que advierta a los

Un gato solo y un hijo único (ABAJO) pueden ser fieles compañeros.

niños que no pongan la cara demasiado cerca del gato. También es el momento de enseñarles algunas prácticas de higiene, como lavarse las manos después de tocar a los animales, sobre todo antes de comer y siempre después de haber limpiado la bandeja sanitaria.

Casi todo lo dicho es de sentido común. Tómese el tiempo necesario para estar con su gato y facilitarle gradualmente la adaptación a su nuevo hogar, y podrá disfrutar durante muchos años de un animal de compañía feliz, satisfecho y sociable.

Debe enseñarse a los niños la forma correcta de manejar a un gato. Esta chica (ARRIBA) lo ha entendido perfectamente.

A los gatos les encanta formar parte de la familia, pero si una madre le enseña a su hijo unas mínimas normas sobre cómo tratarlos la vida transcurrirá en armonía (DERECHA).

◆ ABAJO
Una mascota de la casa y un gato recién llegado pueden convertirse, si los presenta con delicadeza, en los mejores amigos, como demuestran este gran macho de color canela y blanco y la elegante y esbelta gata siamesa que lo acompaña.

◆ IZQUIERDA
Los gatos que han llegado juntos a la casa siendo muy pequeños se llevan siempre bien, incluso aunque no sean de la misma camada.

El olfato es muy importante para los gatos, así que tome una sábana o un trozo de tela de su casa y póngalo en la caja en la que recogerá al nuevo. De esta forma, este felino percibirá el olor tanto de la casa como de los animales que vivan en ella, y tendrá la ocasión de conocer olfativamente a la familia antes de llegar a la vivienda. También ayuda que el recién llegado perciba olores de los familiares, por lo que si usa una colonia o un perfume, frote un poco de su fragancia en el nuevo gato antes de llevarle a su casa; el felino que ya viva con usted percibirá una amenaza menor en el recién llegado. También podría probar a poner algo de aceite de sardina en los dos gatos, algo que puede parecerle extraño: como lo más importante es que los dos huelan igual, tal vez conseguirá que empiecen a lavarse el uno al otro.

La comida es otra buena forma de facilitar la aceptación entre los felinos; deles de comer en la misma habitación, en comederos separados. Mientras los gatos estén absortos en la comida, acerque gradualmente los comederos. Al terminar de comer, estos animales empezarán ineludiblemente a lamerse; cuanto más cerca estén uno del otro mayor será la probabilidad de que consientan en una higiene social, signo seguro de aceptación entre felinos.

Cuando se siente a descansar, al caer la tarde, procure que los dos gatos tengan sitio en su regazo. Si vive solo, pida a un amigo que le visite durante un rato, con lo que se asegurará de que los dos felinos están recibiendo la misma atención. Cambie de vez en cuando los gatos de sitio en su regazo para que cada uno perciba el olor del otro y se tranquilice pensando que no le

♦ ARRIBA
Las jaulas para los cachorros están pensadas para evitarle que se hagan daño. También pueden usarse para mantener separados a dos gatos hasta que se acostumbren el uno al otro.

CÓMO SOSTENER A UN GATO

El gato debe sentirse seguro en sus brazos. Rásqueles suavemente el lomo y los cuartos traseros con una mano, atráigalo hacia los hombros con la otra, de forma que el animal se sienta tranquilo y perciba que está en buenas manos.

supone ninguna amenaza. Aplique tácticas similares cuando los introduzca en las diferentes habitaciones; tras colocar primero a un gato en una sala y al otro en una distinta, cámbielos de habitación al cabo de una hora, más o menos. Así tendrán tiempo de olisquear al rival.

Si tiene una jaula para cachorros, úsela durante este período de adaptación. Con un gato en la jaula y el otro moviéndose libremente por la habitación ambos tendrán la ocasión de mirarse, pero si quisieran pelearse no podrían acercarse lo suficiente para hacerse daño.

Es mucho más fácil adaptar un cachorro a un felino adulto que introducir en un mismo entorno a dos gatos ya crecidos. La mayoría de los gatos adultos, incluidos los machos, mostrarán una especie de instinto paternal por la criatura recién llegada. Así, todos los métodos explicados son válidos también para la introducción de un cachorro, aunque deberían llevar menos tiempo para la aceptación mutua.

La presentación del gato o cachorro al perro de la familia requerirá cierta cautela.

Si el gatito se ha criado con un perro, y el suyo está habituado a los gatos, habrá menos problemas. En caso contrario, deberá proceder con toda la calma. Algunas razas caninas, como todos los de la variedad terrier, son «cazadoras» instintivas y pueden reaccionar ante un pequeño felino como si se tratara de un conejo. También en este caso, si dispone de una jaula para el gato, úsela para que can y felino puedan verse y olerse sin posibilidad de que se lastimen. En caso de pelea, es bastante probable que sea el perro el que salga peor parado; los gatos poseen una agilidad extraordinaria, se mueven con rapidez, pueden saltar y tienen garras afiladas.

Sea cual sea el animal que quiere meter en casa, perro, gato adulto o cachorro, lo más importante es no dejarlos sin vigilar hasta que se esté realmente convencido de que se ha completado la fase de integración. Entretanto, póngalos en habitaciones separadas y cierre bien las puertas cuando tenga que salir de casa.

◆ ARRIBA Y A
LA DERECHA
Para presentar a un perro y un gato que no se conocen se ha de mantener una vigilancia permanente. Pese a la diferencia de tamaños, es más probable que sea el perro el que salga peor parado de una pelea. Después de haberse olisqueado, estos dos animales enseguida iniciaron una estrecha amistad.

EL CUIDADO DE LOS GATOS

Cuando lleve a su gato o cachorro a casa por primera vez,
el animal tendría ya que haber sido vacunado y desparasitado,
así como haber pasado una revisión general en la consulta
del veterinario. Desde entonces será responsabilidad suya
que el gato viva sano y bien adaptado; para conseguirlo,
lo más importante es el cuidado diario y una dieta equilibrada.

ELECCIÓN DEL VETERINARIO

La primera prioridad es buscar un veterinario y registrar al gato en su consulta. No espere hasta que el animal caiga enfermo o tenga algún accidente; nunca se sabe cuándo va a necesitar atención médica, y si el veterinario conoce ya al gato dispondrá de toda la información previa que necesita.

Aunque todos los veterinarios son titulados y tienen un conocimiento amplio de cualquier clase de animales, algunos se han especializado en mascotas domésticas. En general, estos últimos ejercen en ciudades y grandes poblaciones, donde la mayoría de sus pacientes son gatos y perros. En el campo, en particular en las comunidades agrícolas, la mayoría de estos profesionales están más acostumbrados a tratar con animales grandes, como vacas y ovejas. Es importante encontrar un veterinario que conozca bien a los gatos y esté al corriente de las diversas enfermedades y dolencias que pueden afectar a los felinos, junto con sus tratamientos adecuados. Hace algunos años, una criadora de gatos amiga mía se mudó desde su ciudad a una zona rural bastante remota. Cuando fue a ver al veterinario para vacunar a una camada de gatitos, el profesional sacudió la cabeza desconcertado. Estaba acostumbrado a atender las necesidades de una comunidad agrícola, donde solo se pensaba en los gatos como cazadores de ratones, y nunca habría imaginado que alguno de sus clientes se gastaría un dinero que tanto costa-

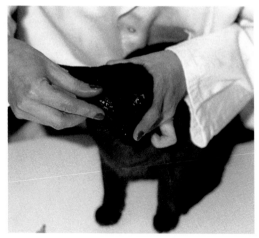

ba ganar en vacunar a un felino. Como nadie le había pedido antes ese servicio no tenía ninguna vacuna disponible; le costó una semana conseguir el pedido, y mi amiga tuvo que pagar una cantidad superior.

Con todo, siempre es útil encontrar un veterinario en nuestra propia localidad; no tiene sentido registrar al gato en la mejor consulta de la zona si para llegar a ella hay que viajar varias horas. Si ha conseguido sus cachorros en un criador local o su gato en una protectora de animales de su población, pida allí que le recomienden un veterinario. Pregunte también a los dueños de gatos de la zona, para saber a qué consulta los llevan. Algunos de los clubes felinos tienen asesores locales que pueden serle de ayuda. Casi siempre, lo mejor es que le recomienden alguien, pero si no lo consigue busque en las páginas amarillas de la guía telefónica, que contendrán una lista de todas las consultas veterinarias.

Cuando haya elegido al veterinario, llámele y concierte una cita. Pregúntele si sería conveniente que llevara al gato a esa primera cita. Es importante que se confíe en su veterinario. Si le parece el adecuado y no surge ningún inconveniente, inscriba allí a su gato. Cerciórese de que lleva consigo el certificado de vacunación, pues el veterinario tendrá que anotar esa información para recordarle cuándo deben administrarse al gato las dosis anuales.

CUIDADOS DIARIOS

Además de darle a su gato una dieta equilibrada (*véase* «Alimentación del gato»), aún quedan unas cuantas cosas que hacer para ayudarle a conservar la salud y a lograr una buena adaptación.

El cepillado regular (*véase* «Cepillado del gato») servirá para mantener el pelaje reluciente y liso y evitará que se formen enredos. También le permitirá detectar la presencia de pulgas u otros parásitos externos, y tratarlos antes de que se conviertan en un problema. De igual manera podrá apreciar los indicios de infestación de parásitos (*véase* «Parásitos»).

Zarpas, ojos, orejas y dientes se beneficiarán también de un examen regular. Procure que esta práctica llegue a ser habitual; hágala, por ejemplo, cada quince días. Cuando el gato se haya acostumbrado, probablemente empezará a disfrutar de estas breves sesiones.

UÑAS

Recortar las uñas al gato salvará muchos muebles y, posiblemente a las personas, de arañazos. Los gatos que salen al exterior rascan los troncos de los árboles con las garras para mantener una longitud adecua-

◆ IZQUIERDA
Si se deja a un gato que salga al exterior, usará los troncos de los árboles o los postes de madera como arañadores para controlar el crecimiento de las uñas.

◆ IZQUIERDA
Este arañador, con juguetes colgados, brindará al gato horas de placer, con el añadido de que pondrá a salvo los muebles y las alfombras de sus afiladas uñas.

da de las uñas. Si utiliza un arañador dentro de casa podrá cubrir, en cierta medida, esta necesidad de los felinos. Una advertencia: no forre el arañador con el mismo tipo de alfombra con que haya tapizado su hogar; tal vez le resulte más atractivo visualmente, pero confundirá al gato, que verá la alfombra como una prolongación del rascador y también la arañará.

Para cortarle las uñas debe proceder con cuidado, y sería mejor que pidiera al veterinario que le enseñara a hacerlo la primera vez. Sujete al gato con fuerza (tal vez necesite la ayuda de un amigo), presione la almohadilla de la zarpa y ponga al descubierto, una por una, las uñas que hay debajo. En cada uña podrá apreciar dos colores diferentes: una zona sonrosada en el centro rodeada de una capa blanquecina que llega hasta la punta afilada de la uña. El área rosa contiene sangre y terminaciones nerviosas y, si se corta, causará dolor y sangrará. La punta blanca y afilada de la uña está compuesta únicamente por células muertas, y no hay ningún riesgo en cortarla. En las tiendas de animales venden cortaúñas especiales para gatos, aunque los corrientes, los que usamos los seres humanos, también son perfectamente adecuados, y mucho más baratos. Al principio, el gato puede resistirse a que le corten las uñas, pero cuando se acostumbre a esta operación aceptará sin problemas una sesión quincenal de manicura.

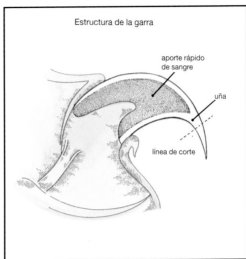

Estructura de la garra

aporte rápido
de sangre

uña

línea de corte

Si su gato va a permanecer siempre dentro de casa sin posibilidad de acceder a los árboles donde se limaría las garras él solo, cortarle el filo de las uñas puede ser una sabia precaución. Utilice para ello un cortaúñas corriente (arriba) o aparatos especiales para gatos (DERECHA). Observe el diagrama (ARRIBA A LA DERECHA) antes de actuar; es importantísimo cortar por la línea correcta para no hacer ningún daño al gato.

♦ DERECHA
La membrana nictitante o tercer párpado no suele ser visible en un gato sano; si se aprecia demasiado puede ser indicio de una enfermedad. Sin embargo, en los siameses de color claro no es infrecuente que se observe esta membrana aun en gatos que se encuentran en perfecto estado.

♦ ABAJO
Las legañas de «sueño» en el ángulo del ojo pueden eliminarse con cuidado usando un trozo de algodón humedecido.

OJOS

Los pequeños depósitos acumulados en los ojos pueden retirarse con algodón humedecido con agua esterilizada o, si se hace con cuidado, con el dedo meñique bien limpio; tenga la precaución de no empujar el globo ocular hacia dentro. El tercer párpado (o membrana nictitante) no debe ser visible en un gato sano.

Estos felinos se caracterizan por tener tres párpados, dos de los cuales se mueven arriba y abajo como los nuestros. El tercer párpado se desplaza transversalmente desde el lado más próximo a la nariz hacia el ángulo exterior. Si al gato le entra polvo, o restos de desperdicios, en los ojos, tal vez se le levante este tercer párpado, en cuyo caso puede lavarse el ojo con un líquido diluido, lo que tendrá un efecto calmante. Sin embargo, un tercer párpado demasiado visible puede ser síntoma de alguna enfermedad; si no se ha aliviado transcu-

rridas veinticuatro horas, será mejor que consulte con el veterinario. Una norma general: cuando solo se ha levantado una de las membranas nictitantes, es que hay algún cuerpo extraño en el ojo del gato; si son las dos, lo más probable es que el animal no se encuentre bien.

Un gato que tiene los ojos acuosos, y si además estornuda, puede tener la gripe de los gatos o una reacción alérgica.

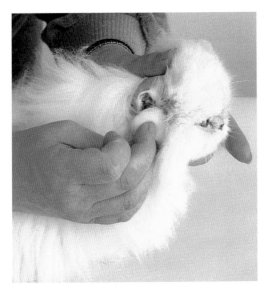

◆ ARRIBA
Las orejas se limpiarán con un algodón humedecido o, con mucho cuidado, con un bastoncillo de algodón, procurando no ahondar demasiado en el canal auditivo.

OREJAS

Las orejas deben oler bien y aparecer limpias, sin signos de acumulación de cera. El oído externo puede limpiarse con un pequeño algodoncito humedecido o, con mucho cuidado, con un bastoncillo. No debe ahondarse demasiado en el canal auditivo, ya que podría hacer daño al animal. La presencia de residuos cerosos de color oscuro puede indicar infestación de ácaros, un problema que en caso de duda deberá ser tratado por el veterinario.

DIENTES

Los dientes deben estar limpios, y el aliento no debe oler. La dieta (*véase* «Alimentación del gato») es muy importante para el desarrollo de una dentadura saludable en los primeros años. Para mantener sanas las encías y evitar la formación de sarro y placa dental debe darse al gato algo que masticar, como por ejemplo un hueso que no se astille, carne seca o ciertas galletas secas. Si el gato se araña la cara persistentemente o rehúsa comer, podría tener dientes sueltos, gingivitis (inflamación de las encías) o las dos cosas. Póngase en contacto de inmediato con el veterinario, por si fuera necesario proceder a una extracción dental y un tratamiento subsiguiente.

OTROS PUNTOS QUE SE DEBEN CONTROLAR

Busque siempre cualquier bulto o protuberancia anormal. Quizá se trate de un simple quiste sebáceo, pero también podría ser el inicio de un tumor. Cualquier cambio en el temperamento del gato podría ser reflejo de una lesión o una enfermedad.

Nunca se insiste demasiado cuando se dice lo importante que es la observación y el examen regular del gato. Recuerde que el veterinario ve al animal únicamente en la revisión anual y en la inoculación de las dosis de recuerdo de las vacunas. Es usted quien mejor conoce a su gato, ya que vive con él y, por lo tanto, notará antes que nadie que el animal «no se encuentra bien». No omita mencionar al veterinario cualquier cambio mínimo en la complexión, el tamaño, la personalidad o el comportamiento; algo que puede parecerle trivial tal vez sea una información clave .

◆ ARRIBA
Un examen periódico de la boca de su gato le dará pistas sobre la posible existencia de algún problema. Mire si tiene las encías inflamadas o los dientes sueltos; en ese caso póngase inmediatamente en contacto con el veterinario.

La alimentación del gato

Una dieta adecuada y equilibrada es importantísima para la salud y el bienestar del gato. La comida no es solo el combustible que permite el funcionamiento del organismo, sino que afecta directamente al estado de los dientes y los huesos del animal, así como a todos sus órganos internos, sobre todo los intestinos y, en último término, al aspecto del pelaje del felino.

Sin importar dónde haya conseguido el gato, cuando entre en su hogar el animal debe alcanzar un estado óptimo. Si obtuvo un cachorro de un criador, tendría que haber pedido una hoja con la dieta para que le sirva de orientación durante los primeros meses. Adulto o cachorro, la salud del gato es responsabilidad suya, y es importante una buena alimentación.

Los gatos son criaturas de costumbres y, por ello, es importante aplicar desde el primer momento un régimen de horas de comida y elegir un lugar concreto para el comedero y el bebedero. La dieta del gato ha de ir modificándose con la edad. Un cachorro apenas necesita comer y, a menudo, pasa lo mismo cuando el gato ya es viejo. En cambio, un gato adulto sano hace menos comidas, pero más abundantes. Un felino inválido tal vez requiera una dieta especial, sobre la cual puede pedir consejo al veterinario.

EL EQUIPAMIENTO Y DÓNDE PONERLO

La mayoría de los dueños de gatos eligen la cocina como el lugar más cómodo para que el gato se alimente, ya que allí se guarda y se prepara la comida. No parece muy

buena idea poner el comedero en el suelo, ya que se tendría que estar pasando continuamente por encima de él. Será mejor usar una bandeja para colocar dentro el comedero y el bebedero en una superficie especialmente destinada y situada fuera del paso. Si tiene una habitación de servicio, tal vez sea esta la más conveniente. Una vez decidido el lugar, no lo cambie; el gato necesita permanentemente agua fresca y debe saber dónde está su bebedero.

Comederos y bebederos

Existen muchas clases diferentes de recipientes para comedero y bebedero, algunos mejores y más prácticos que otros.

Los cuencos de **PLÁSTICO** son los más comunes, porque duran bastante, son casi irrompibles y se limpian con facilidad. No todos pueden lavarse en el lavavajillas.

Los cuencos de **METAL** son indestructibles y pueden esterilizarse a altas temperaturas sin estropearlos.

Los de **ARCILLA** son sólidos y es difícil que vuelquen, aunque se rompen con facilidad o se descascarillan cuando se caen. Los cuencos de **VIDRIO** no son muy recomendables; son bonitos, pero si se caen se romperán, con el riesgo de que el gato se clave los fragmentos en las patas o, peor aún, se los trague.

Los **CUENCOS DOBLES** para comedero y bebedero que contengan la comida y el agua, respectivamente, dan buen resultado; sin embargo, es casi imposible vaciar el bebedero sin tirar la comida cuando hay que cambiarle el agua al gato antes de que acabe de comer.

Los cuencos de **TIEMPO CONTROLADO** son muy recomendables para quienes pasen fuera de casa casi todo el día. Constan de dos recipientes retirables situados dentro de un contenedor con tapa provisto de un temporizador. Se puede ajustar la hora a la que ha de comer el gato, y la tapa se levanta para que el animal acceda a su alimento. Este sistema tiene un inconveniente: algunos gatos no tardan nada en aprender cómo funciona el mecanismo.

ELECCIÓN DE LA COMIDA

Los gatos son animales carnívoros por naturaleza, y un vistazo a sus dientes lo confirma: grandes caninos para desgarrar la carne; incisivos pequeños, porque el gato apenas tiene necesidad de morder hierba o vegetales; y un conjunto bien nutrido de molares para masticar. En estado salvaje, los gatos cazan sus presas y se las comen enteras: plumas, piel, huesos y, algo bastante importante, el contenido de su estómago e intestinos, que suele consistir en vegetales que proporcionan a estos felinos

✦ ARRIBA
*Algunas razas de
gatos tienen más
tendencia a la
obesidad que otras.
Los británicos de pelo
corto entran dentro
de esta categoría, y su
dieta debe vigilarse
especialmente, sobre
todo cuando el
animal ha sido
esterilizado y no
parece muy activo.*

dar y, teóricamente, contiene un equilibrio perfecto de nutrientes, vitaminas y minerales esenciales para el bienestar del gato. Algunas marcas ofrecen un preparado especial para cachorros, elaborado para cubrir las necesidades dietéticas de las crías de gato. Las comidas envasadas tienen muchos sabores diferentes, lo que garantiza una gran variedad. Solo hay un pero: a algunos gatos la comida envasada de ciertas marcas les resulta demasiado fuerte y puede provocarles diarrea.

Las **GALLETAS** constituyen un complemento interesante y crujiente para la dieta del gato, pero nunca deben usarse como único aporte alimenticio. Un puñado dispersas en la comida normal servirá para ejercitar las mandíbulas y ayudará a mantener unos dientes y encías sanos.

Las dietas de **PROTEÍNAS SECAS** son un descubrimiento reciente. Se basan en principios científicos, y suelen prepararse a partir de proteína bovina hidrolizada. Constituyen lo más avanzado para conseguir una dieta equilibrada completa y contienen todas las vitaminas, minerales y oligoelementos que necesita un gato. Son fáciles de guardar, cómodas de servir y, por añadidura, pueden dejarse preparadas para cuando se esté fuera, sin que manchen como la comida envasada.

Las **«NUGGETS» SEMISECAS** en bolsas selladas al vacío son irresistibles para muchos felinos. También fáciles de guardar, una vez abiertas no se estropean tan deprisa como las comidas envasadas. Se le pueden dar al gato como «premio», pero no ser el principal elemento de su dieta.

La **COMIDA ENVASADA AL VACÍO** conforma otra nueva clase de alimento que incluye pescado, carne o pollo cocinados frescos. No tiene conservantes ni colorantes, por lo que resulta adecuada para gatos con estómagos delicados.

Lo ideal sería que una vez al día el animal tomara **COMIDA FRESCA**, que podría consistir en pollo, conejo o pescado en filetes y cocinado; cerciórese de que se han quitado todos los huesos que pudieran quedársele al animal atravesados en la garganta. A casi todos los gatos les gusta la carne de vaca y de cordero. Algunos la prefieren

los oligoelementos a los que, en caso contrario, no tendrían acceso.

Tendemos a desaprobar que los gatos cacen pájaros y ratones; es desagradable, y consideramos que abrir una lata o un paquete es un modo más higiénico de atender las necesidades de la dieta de un felino. La clave para que esta dieta sea la adecuada es el equilibrio, así que han de considerarse todas las variedades que existen.

En el mercado hay muchas clases de comida para gatos que tanto usted como su mascota sabrán apreciar. La variedad es la salsa de la vida; si le da a su gato una combinación de las diversas comidas disponibles le garantizará una dieta interesante, equilibrada y correcta.

La **COMIDA ENVASADA** es tal vez la más conocida. Resulta cómoda, fácil de guar-

cruda, en cuyo caso recibirán con entusiasmo una fina loncha de ternera (no es buena idea, en cambio, ofrecer a los gatos pescado, pollo u otras clases de carne sin cocinar). Cuando alimente a su gato con comida fresca, procure que la calidad sea de «consumo humano»; algunos carniceros venden «piezas para animales» que están hechas de carne grasa y, aunque son buenas para los perros, pueden provocar problemas digestivos en los gatos.

A menudo se da a los gatos las **SOBRAS** de la mesa, que suponen una valiosa fuente nutritiva adicional. Las hortalizas, sobre todo las verduras, son particularmente apreciadas, ya que recuerdan a la dieta natural del gato en su entorno salvaje. Los huesos de carne cocinados (que no sean de pollo ni conejo) les darán algo que masticar. No ofrezca jamás a un gato huesos que puedan astillarse, pero los de los asados, por ejemplo, les proporcionarán horas de placer y les ayudarán a ejercitar y mantener sanos los dientes y las encías.

En la mayoría de las tiendas de animales pueden conseguirse **COMPLEJOS VITAMÍNICOS Y MINERALES**. Lea minuciosamente las instrucciones del envase, ya que algunos complejos vitamínicos pueden producir sobredosis en los gatos. Si piensa que su gato tiene alguna carencia vital de minerales o vitaminas, consulte con el veterinario.

ALIMENTACIÓN: CANTIDAD Y FRECUENCIA

De promedio, los gatos esterilizados adultos comen dos veces al día. La cantidad de comida necesaria depende del tamaño y la constitución del gato. Como norma general, bastará con 250 gramos de alimento envasado para gatos en cada comida. Esta cantidad equivale aproximadamente a una porción de 100 gramos de pescado o pollo fresco cocinado.

Después de los primeros seis a nueve meses de vida, los cachorros necesitan más o menos la misma cantidad de alimento que los adultos, aunque repartida en cuatro comidas diarias; lo mismo puede decirse de los gatos «de la tercera edad»: lo correcto es darles menos cantidad, pero más a menudo.

Las gatas preñadas o que amamanten a sus crías, y los gatos de exposición, necesitan dietas diferentes, con complejos vitamínicos y minerales (*véase* «La alimentación del gato»).

Aunque a veces se ven gatos obesos, no es algo muy común. Los felinos suelen mostrarse preocupados por mantener la línea y no suelen excederse en la comida. Sin embargo, algunos gatos, y ciertas razas en particular, son más propensos al sobrepeso. Le corresponde a usted saber si su gato está demasiado grueso; en caso de duda, pida consejo al veterinario. Personalmente, opino que es preferible que un gato esté un poco rellenito que anoréxico, porque si padece alguna enfermedad leve y no come durante un tiempo tendrá reservas de las que ir tirando.

✦ ARRIBA
Acostumbre a su gato desde pequeño a masticar carne hasta roer el hueso. Así mantendrá los dientes sanos, y tardarán más en caérsele cuando sea viejo.

EL CEPILLADO DE LOS GATOS

Los gatos son animales presumidos, y en general se las arreglan para mantener el pelaje en un estado inmaculado. Sin embargo, como sucede con la mayoría de las cosas, un poco de ayuda de un amigo nunca viene mal; cuando varios gatos viven juntos, consienten en hacer de la higiene un acto social y pasan horas lamiéndose unos a otros. En general, se centran en los lugares difíciles a los que un gato no llega bien solo, como detrás de las orejas y la parte posterior del cuello.

Ello no significa que un hombre no pueda también aportar su ayuda; más aún, en nuestro moderno entorno urbano y nuestras casas con calefacción central es importante dedicar cierta atención a la higiene de nuestros gatos. Todos mudan el pelo, ya sea corto o largo; en un entorno natural, la muda se produciría solo en los cálidos meses de verano, cuando el gato necesita liberarse de parte de su espeso pelaje invernal. Pero en una casa con una temperatura controlada, estos felinos prolongan la muda durante casi todo el año. Cuando un gato se lame traga cierta canti-

dad de pelo, lo que puede hacer que se le acumulen bolas pilosas en el estómago (*véase* «Cuidados de salud, Dolencias y enfermedades»). Un cepillado regular ayudará a que no se produzca este hecho.

Acostumbre cuanto antes a su gato a sesiones de cepillado; siempre es más fácil habituar a un animal joven que a uno adul-

◆ ARRIBA
La madre pasará muchas horas preocupándose por que su prole luzca limpia e impoluta.

◆ DERECHA
La limpieza social es un aspecto importante de la vida del gato. Quién mejor que un amigo para ayudarle a uno a lavarse las zonas más difíciles, como detrás de las orejas.

◆ IZQUIERDA
Hasta un gato solitario pasa gran parte del día atendiendo asuntos de higiene personal. A pesar del afán de esta especie por la higiene social y personal, todos los gatos necesitan un poco de ayuda de sus dueños.

to. Desde el punto de vista del gato, una vez que se haya acostumbrado, estas sesiones de limpieza le resultarán de lo más agradable: a la mayoría de los gatos les gusta que les toquen y manoseen, y un buen cepillado, acompañado de una limpieza manual, puede hacerles ronronear de placer.

LOS UTENSILIOS DE CEPILLADO

Para comprar todo lo necesario para el cepillado del gato acuda a una tienda de confianza. Aunque puedan parecer una ganga, los instrumentos más baratos no siempre son los mejores. Es más, probablemente durarán mucho menos que los productos de buena calidad, y podrían incluso dañar la piel del gato. Cerciórese de que todos los peines metálicos tienen dientes romos y redondeados, sin puntas afiladas.

El equipo necesario depende de la longitud del pelaje del gato. Algunos de los elementos que necesitará más probablemente son los siguientes:

Para gatos de pelo corto: gamuza, cepillo de cerdas o de bebé, carda o manopla de goma, peine antipulgas, bay rum (loción de malagueta y alcohol de caña).
Para gatos de pelo largo: cepillo doble (de cerdas y metálico), cepillo de dientes, carda, polvos de talco, peine metálico con dientes largos y cortos alternos y peine de dientes anchos.

◆ IZQUIERDA
Se muestra aquí un equipo completo de cepillado para un gato de pelo corto (a la izquierda, en la imagen) y de pelo largo (a la derecha), según se detalla en el texto.

CÓMO CEPILLAR A UN GATO DE PELO CORTO PASO A PASO

Los gatos de pelo corto no necesitan, en general, un cepillado demasiado intenso, aunque si se les pasa el peine y el cepillo con cierta regularidad se podrán quitar los pelos sueltos o muertos. Después se les puede pasar también una gamuza para darles un brillo lustroso. Algunas razas con pedigrí, como los gatos británicos de pelo corto y los Manx, tienen un pelaje especialmente espeso, por lo que ha de prestarse atención a cualquier indicio de formación de enredos.

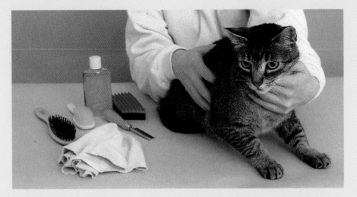

❶ Un gato de pelo corto necesitará el siguiente material (desde arriba, en el sentido de las agujas del reloj): bay rum, carda o manopla de goma, peine antipulgas, paño de gamuza, cepillo de cerdas o cepillo blando.

❷ Se usa una carda o manopla de goma especial para cepillar con el fin de retirar todos los pelos muertos. La superficie erizada captura la mayor parte del pelaje sobrante y además da al gato un placentero masaje que estimula la circulación. Es importante no excederse en esta primera labor, ya que esta herramienta es muy eficaz y un dueño demasiado entusiasta puede eliminar demasiado pelo. Estas gomas pueden conseguirse en la mayoría de las tiendas de animales, aunque si tiene dificultades para encontrarlas use las manos mojadas.

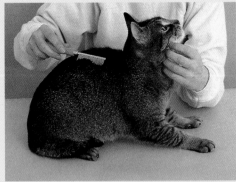

❸ Utilice un peine de dientes finos (normalmente llamado antipulgas, aunque no se use necesariamente para espulgar al gato) para peinar a contrapelo; así se eliminarán los pelos muertos de las capas inferiores del pelaje. Después, se peina cuidadosamente todo el pelaje de la forma normal para recoger cualquier residuo.

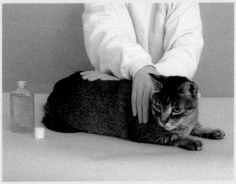

5 Aplique al gato un poco de loción de bay rum con las manos y, avanzando desde el cuello hasta la base de la cola, haga un suave masaje del pelo del felino. Esta acción es eficaz en todos los gatos atigrados, persas o de tonos oscuros, ya que extrae el mayor brillo de los colores y deja un lustre muy bonito en el pelaje. No debe usarse, en cambio, en gatos de colores claros, ya que los teñiría.

4 Acto seguido utilice un cepillo de cerdas o de bebé, para retirar cualquier pelo suelto que quede sin estropear el trabajo realizado ni quitar todavía más pelo.

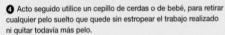

6 Finalmente, para obtener un acabado excelente, pase a su gato una gamuza o un trozo de seda por el pelo. Alise el pelaje en el sentido de su crecimiento natural.

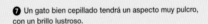

7 Un gato bien cepillado tendrá un aspecto muy pulcro, con un brillo lustroso.

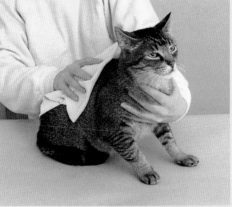

Cómo cepillar a un gato
de pelo largo paso a paso

Los gatos de pelo largo necesitan un cepillado regular si se quiere mantener su pelaje esponjoso y sin enmarañar. Ha de prestar especial atención a la parte inferior, sobre todo la tripa y las patas, donde es más probable que se formen marañas y nudos. Estos enredos son como la herrumbre en un coche: una vez que se forman tienden a extenderse como un incendio. Un cepillado diario durante al menos quince minutos todas las tardes impedirá que se formen; la alternativa es una visita regular al veterinario para administrar anestesia al animal y retirarle quirúrgicamente las marañas de pelo, lo que resulta menos agradable y bastante más caro.

❶ En un gato de pelo largo se necesitará (de izquierda a derecha) un peine de dientes anchos, un cepillo de dientes, un cepillo de dos caras, polvos de talco, un peine metálico con dientes largos y cortos y una carda.

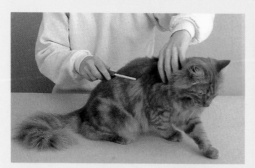

❷ Utilice un peine de dientes anchos o, mejor todavía, uno con dientes largos y cortos alternativos en sentido opuesto a la caída normal del pelo. Puede ser necesario hacer divisiones en el pelo y peinarlo por secciones. Es importante cerciorarse de que el peinado llega hasta el nacimiento del pelo, para desenredar bien los nudos, y peinar con suavidad las zonas inferiores (una parte delicada de la anatomía del gato).

❸ Espolvoree un poco de polvo de talco de bebé o perfumado sobre el pelo del gato, lo que facilitará el cepillado, al separar unos pelos de otros y dar volumen al conjunto. Evite talcos «de marca» demasiado aromatizados, que pueden provocar reacciones alérgicas, sobre todo en los ojos.

4 Cepille bien el pelo, con cuidado y usando el lado de dientes metálicos del cepillo. Sea cuidadoso porque, aunque eficaz, este cepillo puede romper el delicado pelaje si se utiliza con demasiada fuerza. Si tiene dudas, evite el cepillo metálico hasta que sepa bien cómo utilizarlo.

5 Utilice ahora el lado metálico del cepillo.

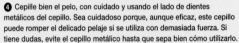

6 Utilice un cepillo de dientes para cepillar la zona de la cara. (La mayoría de los cepillos de pelo son demasiado largos para esta región, mientras que un cepillo de dientes corriente encaja bastante bien.)

7 Puede usarse una carda, aunque no es esencial, para la última fase. Se emplea principalmente para la cola y el lomo, y dando un toque esponjoso al pelaje en su conjunto.

8 Resultado final: el pelo suave y sin enredos.

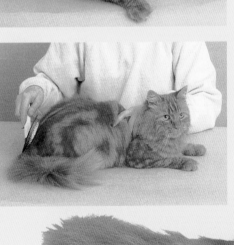

LOS CUIDADOS DE UN GATO VIEJO

Es imposible definir la «vejez» de un gato solo por sus años. Estos felinos, como el ser humano, se hacen mayores a cualquier edad, y mientras algunos parecen viejos con apenas ocho años, otros siguen siendo «cachorros» pasada la decena. El paso del tiempo no deja, sin embargo, surcos ni arrugas en su rostro cubierto de pelo, por lo que no delatan su edad.

La mejor forma de evitar que un gato envejezca prematuramente es un buen mantenimiento cotidiano, que debe iniciarse desde que es cachorro. Sin embargo, conforme un gato va cumpliendo años también se desgastan sus órganos internos que, habiendo servido al animal durante muchos años, empiezan a sufrir cierto deterioro. Otros gatos tienen problemas cardíacos o insuficiencia hepática o renal; otros son propensos a padecer artritis y problemas reumáticos. Algunos más viven una madurez tranquila, sin ninguna dolencia. Si el gato ha recibido los cuidados adecuados a lo largo de su vida, se habrá hecho lo posible para que el animal no sufra demasiados achaques en la vejez. Recuerde que ciertas debilidades son heredadas y tienen, por tanto, mal remedio.

En general, debe tratarse a un gato viejo con el cuidado y respeto que demostraríamos a nuestra abuela. Lo más importante es colmarle de cariño y atención, recetas que obran maravillas; las comidas, equilibradas y regulares, no serán demasiado fuertes ni tampoco muy blandas, y contendrán una cantidad correcta de forraje para que el gato reciba los nutrientes esenciales y fibra para favorecer un buen funcionamiento intestinal; un entorno con una temperatura controlada le ayudará a ahuyentar los resfriados y dolencias pulmonares; con el ejercicio, mantendrá la movilidad de las articulaciones y el buen tono muscular.

Vigile cualquier cambio de comportamiento del gato que pudiera indicar algún fallo de un órgano vital; si se diagnostica el problema antes de que degenere demasia-

do, será posible mantener con vida al gato durante un tiempo considerable con la medicación adecuada. El diagnóstico debe hacerlo el veterinario, que probablemente tomará muestras de sangre, orina y heces para detectar el problema. Su tarea consistirá en observar al animal para informar al veterinario exactamente de la naturaleza del cambio de su conducta.

Busque los siguientes indicios de enfermedades:

• Una falta aparente de apetito puede indicar dolor por problemas dentales, un trastorno común en los gatos viejos. El veterinario deberá examinar la boca del animal y decirle a usted, si fuera el caso, cómo debe actuar.

◆ ARRIBA
Los gatos viejos a menudo tienen problemas dentales, como enfermedades de las encías y pérdida de algunas piezas. Tal vez haya que extraerles algún diente, aunque ello no les impedirá seguir comiendo como de costumbre.

◆ DERECHA
*A medida que va
haciéndose viejo,
el gato pasa cada
vez más parte del
día durmiendo,
no obstante deberá
hacer ejercicio
para mantener la
movilidad de las
articulaciones y el
buen tono muscular.*

- Los gatos que siempre tienen sed pueden tener diabetes provocada por problemas en el hígado o en el riñón.
- Eche también un vistazo a la bandeja sanitaria para asegurarse de que las deposiciones tienen un aspecto normal; si son demasiado líquidas o excesivamente duras, tal vez el animal sufra un cólico o un problema intestinal.
- La incontinencia podría tener una causa mecánica como, por ejemplo, parálisis de la vejiga, pero también puede tratarse sencillamente de cistitis, que a menudo responde bastante bien al tratamiento.
- Vigile la posible presencia de masas duras y protuberancias en desarrollo, que tal vez sean inocuas, aunque los cambios de forma pueden indicar formación de tumores.

EUTANASIA

Todos sabemos que, un día u otro, tiene que llegar el fin, por muy triste que nos resulte. En este caso tenemos la oportunidad de librar a nuestros animales de compañía del sufrimiento y sumirlos humanamente en el sueño final.

Parece que los gatos tienen tienen una gran resistencia al dolor, e incluso ronronean aun encontrándose francamente mal.

◆ ARRIBA
*Una pequeña lápida
en el jardín recuerda
para siempre a un
animal querido.*

Cuando se ha vivido muchos años con un animal, se le conoce como a un viejo amigo; por más que pretenda disimularlo, instintivamente sabremos que no está bien y que sufre. Los gatos odian sentirse sucios; si tienen una incontinencia sin cura se sienten criaturas miserables. Algunos tumores no pueden operarse, y un gato con cáncer terminará por sufrir, por muy valerosamente que lo afronte.

Si conoce bien a su gato sabrá cuándo le va a llegar su hora, y podrá autorizar al veterinario a que acorte su sufrimiento. Los gatos no tienen creencias religiosas, así que si se tiene ocasión de dejarles ir en paz y de manera digna, ¿por qué no hacerlo?

LOS GATOS TRABAJADORES

El hombre siempre ha tenido necesidad de domesticar a los animales, y por una buena razón. Las vacas y las ovejas le dan comida, los perros le sirven como cazadores y guardianes y los gatos son probablemente las trampas para ratones más eficientes que se han inventado. Aunque hoy vemos a estos felinos como animales de compañía, no hace tanto que muchos gatos tenían que trabajar para vivir, y algunos aún lo siguen haciendo.

Históricamente, los gatos servían para guardar los depósitos de grano en lugares donde abundaban ratas y ratones; más tarde, en las poblaciones industriales, a menudo patrullaban por fábricas y almacenes para controlar la población de bichos. Los ratones pueden ser muy destructivos, y se abren camino a través del papel y el cartón. Cuando se introdujo el servicio postal era habitual ver gatos en las oficinas de clasificación para guardar el correo; esta tradición se ha perpetuado hasta hoy en el Royal Mail británico, cuya oficina londinense de Mount Pleasant tiene un gato, aunque dudo mucho que se gane el sueldo. Estos felinos nos han brindado su ayuda en otros lugares, como estaciones de ferrocarril, terrenos de hospitales y, tradicionalmente, muchos teatros.

Pero los gatos han ayudado al hombre en otros campos, distintos de la caza de ratones, y es probable que en la época medieval fueran empleados para tirar del mecanismo que daba vueltas al asado, al igual que los perros. En 1899, Harrison Weir,

✦ IZQUIERDA
Y ABAJO
Este gato vive en el centro del jardín; aunque su ocupación favorita parece ser sentarse en los elementos ornamentales de piedra calentados por el sol, este lugar le sirve también de atalaya para otear los pájaros que salen de las plantas y los semilleros.

fundador del National Cat Club del Reino Unido, escribió sobre muchos gatos trabajadores: en la prisión de Flete, en Londres, un felino que vivía allí cazaba ratones y se los llevaba a los famélicos prisioneros; en 1828, según las crónicas, un gato que vivía en el puerto británico de Plymouth se dedicaba a pescar para llevar sus trofeos a los soldados hambrientos. Por su parte, un misionero de viaje por China contó que había visto usar a los gatos como relojes; al mediodía, sus pupilas se estrechaban hasta hacerse tan finas como un cabello, pero transcurrida esa hora se empezaban a dilatar y a redondear. Supuestamente, los chinos recurrían a esta observación para medir el tiempo.

Los descendientes de muchos de estos felinos trabajadores sobreviven hoy en colonias de gatos callejeros, esa población de felinos que son abandonados conforme va disminuyendo su utilidad para el hombre.

✦ ARRIBA
A veces se ve a gatos en restaurantes, aunque deberían mantenerse alejados de la cocina y de las zonas donde se preparan comidas.

✦ DERECHA
Desde siempre ha habido gatos en los almacenes y las fábricas para cazar ratones y otros animales. El de la imagen muestra una actitud envidiable (tal vez nunca puesta en práctica) de cazador en las instalaciones de un mayorista de comida para mascotas.

✦ ARRIBA
Un despacho bien vale una siestecita al final del día. Aunque no es probable que haya aquí ratones que cazar, los gatos son compañeros tranquilos y agradables tanto en los lugares de trabajo como en el hogar. Cuando salgamos de vacaciones conviene siempre que alguien eche un vistazo al gato de vez en cuando.

LA SEGURIDAD EN LOS GATOS

En el entorno en que vivimos, a un gato desprevenido le aguardan no pocos peligros. Al salir de casa les esperan los coches y las zonas con agua desprotegidas que pueden, cuando menos, cortar alguna de las siete vidas de estos felinos. Tampoco los interiores están libres de riesgos, no solo por los electrodomésticos, sino por las sustancias tóxicas que usamos a diario, como desinfectantes y pinturas para decoración. Sea consciente y procure que su gato pueda disfrutar de una vida larga y feliz.

Son muchos los peligros que puede encontrar un gato a lo largo de su vida. La mayoría de la gente piensa que estos animales solo están en peligro si se exponen al largo y ancho mundo que acecha al otro lado de la puerta. Pero no es cierto: también hay amenazas dentro de la casa. Muchos gatos que gozan de cierta libertad de movimientos adquieren un cierto «sentido de la calle» y aprenden a velar por sí mismos, dentro de lo razonable. Los que viven encerrados en casa dependen enteramente de sus dueños para su seguridad y bienestar.

La decisión de mantener al gato dentro de las paredes de la casa puede ser obligada por el lugar de la vivienda. En las modernas poblaciones y ciudades, mucha gente vive en bloques de apartamentos donde no siempre es posible soltar a un minino para que dé un paseo nocturno. Tal vez prefiera dormir tranquilo sabiendo que su gato está dentro de casa. Por otra parte, a mucha gente no le agrada la idea de soportar las riñas en los cubos de basura, ni le apetece que un felino use su jardín como cuarto de baño. (Piense en sus vecinos: no a todo el mundo le gusta ver sus macetas convertidas en inodoros para gatos.)

Tal vez antes de decidir de qué forma vivirá un gato, y las limitaciones que se le impondrán, conviene primero medir los riesgos que puede correr.

✦ ARRIBA
Un jardín rodeado de vallas bien dispuestas permite al gato cierta libertad sin exponerlo a los peligros del mundo exterior.

✦ ABAJO
Los techados rotos o frágiles y las telas metálicas representan un verdadero peligro para cualquier gato; estos materiales pueden atravesar la piel del animal y provocarle una infección.

PELIGROS EN EL EXTERIOR

Las **ENFERMEDADES E INFECCIONES PARASITARIAS** se transmiten, por lo general, de un gato a otro, por lo que los felinos que campan a sus anchas son más propensos a contraerlas que los que viven dentro de las casas. Dicho esto, también es cierto que los primeros adquirirán cierta inmunidad a muchas enfermedades a las que están expuestos frecuentemente en un nivel de infección bajo. (Para más información, *véase* «Cuidados de salud, Parásitos y Dolencias y enfermedades»).

Las **VALLAS Y OTROS LÍMITES** proporcionan una zona segura para los gatos siempre que estén construidos de forma adecuada, sin rebordes afilados ni otras amenazas. Sin embargo, hay personas que instalan vallas para impedir que los gatos de otros entren en su jardín, usando vallados eléctricos y alambres de espino que pueden provocar horribles lesiones.

Los **DESPERDICIOS DE LA CASA**, dejados en cubos y bolsas en el jardín, son una tentación para cualquier gato, no solo los vagabundos. Por una razón desconoci-

A los gatos les encanta explorar, sobre todo en territorios que, en otras situaciones, les estarían prohibidos. Este felino se las ha arreglado para quedarse encerrado en el cobertizo del jardín, y permanecerá allí un tiempo si el dueño no tiene la costumbre de revisar la caseta y otras zonas cubiertas exteriores cada noche.

♦ ARRIBA
Los gatos son basureros natos y una tapa del cubo de basura mal colocada como esta es toda una incitación. La mayoría de la comida tirada de esta forma está contaminada y, si un gato la come, como poco sufrirá algunos trastornos estomacales.

da, los gatos parecen sentirse especialmente atraídos por la basura del vecino. Pero ¿qué hay en esos cubos, y qué daños podrían causar? La comida en la basura se descompone rápidamente, sobre todo cuando hace calor, y si el gato la come puede sufrir un trastorno estomacal importante. Algunos huesos, en particular los de pollo y conejo cocinados, son frágiles y pueden quedarse atravesados en la garganta del gato, con consecuencias fatales. Los cristales rotos, cuando no están bien envueltos, producen lesiones incontables, tanto en las patas si los pisan como, peor aún, internamente si se los tragan. Productos químicos, como los detergentes, pueden derramarse y provocar problemas de intoxicación cuando el gato los ingiere junto con la comida tirada.

OTROS GATOS. Si deja que su gato se mueva con libertad, será inevitable que se encuentre con otros animales de su especie. En su mayoría serán animales amistosos, pero algunos mostrarán comportamientos feroces. No es raro que uno de esos gatos ataque a un cachorro.

Las **CASETAS Y COBERTIZOS** pueden no parecer peligrosos, pero lo son si el gato se queda encerrado dentro sin comida ni agua. El momento del año más problemático es el otoño, cuando los buenos jardineros dan un último barrido a las hojas y luego guardan todas las herramientas bajo llave durante el invierno en la caseta del jardín. Es entonces cuando debe extremarse la vigilancia; un gato perdido en esa época del año bien puede estar encerrado en el cobertizo de un vecino. Preste atención también a los riesgos que entrañan tales cobertizos: es corriente que en ellos se guarden productos químicos, pinturas y herramientas, todos ellos elementos potencialmente peligrosos para un gato, por lo que conviene cerciorarse de que se ha cerrado bien la puerta al salir y de que no hay ningún gato dentro (las ventanas y las baldosas rotas suponen también riesgos potenciales).

◆ ARRIBA
Las casetas del jardín se usan a menudo para guardar pinturas, diluyentes, trementina, herbicidas y otros productos químicos tóxicos. Asegúrese de que ha dejado la puerta bien cerrada, pues un gato curioso podría entrar, a menudo para su propio perjuicio.

UN JARDÍN A PRUEBA DE GATOS

Tal vez al principio le parezca una empresa ardua y costosa, pero no lo será tanto en jardines pequeños. Le servirá perfectamente el alambre de gallinero u otra tela metálica, sobre todo si las vallas y los muros circundantes son altos. Utilice postes de 47 mm × 50 mm, y soportes horizontales en la parte superior de la valla,

y ate la tela metálica floja de forma que el gato no pueda agarrarse a ella y no pueda saltar al jardín del vecino.

Si la valla está debilitada o tiene agujeros a la altura del suelo, cubra bien estas zonas y, si le es posible, entierre el alambre por debajo a una profundidad de unos 150 mm aproximadamente.

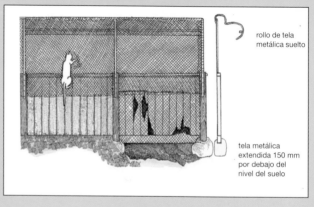

rollo de tela metálica suelto

tela metálica extendida 150 mm por debajo del nivel del suelo

◆ IZQUIERDA
*Este gato está
disfrutando de
un jardín soleado,
bellamente mantenido
y sin malas hierbas;
el dueño, respetuoso
con la naturaleza, ha
utilizado pesticidas
que no causan ningún
daño a los gatos ni
a otras especies.*

Los **PESTICIDAS Y AEROSOLES DE JARDÍN** son sustancias químicas que muchos buenos jardineros utilizan. Pero hay que tener cuidado. Todo aquello que lleve una etiqueta recomendando que se guarde «fuera del alcance de los niños» debería entenderse también como «peligroso para los gatos». Contra los pulgones y los áfidos evite productos químicos que puedan ser perjudiciales para un gato; diluya los líquidos al máximo, sin que pierdan eficacia para destruir estas plagas. Lea detenidamente la etiqueta de los fertilizantes; muchos contienen un producto contra el musgo peligroso para los felinos. Los herbicidas hormonales, que estimulan el crecimiento de las plantas, son los más seguros para los animales.

CALLES Y COCHES. Mueren más gatos atropellados que por cualquier otra causa. Pero, mirando el lado positivo, la mayoría de los gatos aprende de los errores y muy pocos son los que son golpeados dos veces por un vehículo. Si piensa dejar a su gato que campe libremente, intente ofrecerle

✦ ABAJO
Un gato que vaga libremente por las calles se arriesga a ser robado o a sufrir un accidente.

un poco de información previa: en un contenedor seguro, como pueda ser una cesta para gatos, póngale debajo de su automóvil. Encienda el motor y revolucciónelo muy deprisa (solo durante unos segundos, o el animal inhalará demasiado humo). Así convencerá al gato de que el coche es un animal desagradable y, con suerte, el felino lo recordará y se mantendrá alejado del tráfico. Aunque sea un poco cruel, es por su bien y lo cierto es que funciona.

ROBO. Son varias las razones por las que se roban gatos, aunque las principales son la vivisección y el comercio de pieles. Un problema más reciente es la popularidad que están adquiriendo los perros de pelea, como los pitbulls, y el peligro consiguiente de que se usen gatos para azuzar a los perros antes de la pelea. El robo es un riesgo menor para los gatos que permanecen encerrados en casa, pero no para los que deambulan por las calles. Los gatos que salgan a la calle deben llevar un collar con el nombre, la dirección y el número de teléfono del propietario. No escriba en la etiqueta el nombre del gato, porque es

QUÉ HACER SI SU GATO DESAPARECE

• Busque bien en la casa para asegurarse de que el gato ha desaparecido realmente. Sería un tanto embarazoso patrullar por la zona y decirles a todos los vecinos que el gato se ha perdido para, al final, encontrarlo durmiendo tranquilamente dentro de un armario. Cerciórese de que no se ha quedado encerrado en el baño, ni está hecho un ovillo entre las cortinas, otro lugar estupendo para esconderse.

• Compruebe que el gato no está en casa del vecino: pídale a este que mire bien en los lugares más cálidos de la vivienda, como el dormitorio, el cuarto de la caldera o un armario espacioso. Ruéguele también que busque en los cobertizos u otros lugares donde un gato asustado y perdido podría haber buscado refugio, en un rincón oscuro.

• Ponga anuncios por el barrio, con una fotografía si fuera posible, una descripción del gato y el momento y lugar donde se perdió. No escriba nunca mensajes del estilo de: «Valioso gato de raza perdido», ya que animaría a algunas personas a procurar quedárselo. Describa simplemente el aspecto del gato y ofrezca una recompensa por su devolución.

• Advierta a la gente que trabaja temprano, como el cartero. Los gatos recuperan con rapidez sus costumbres salvajes y suelen ocultarse durante el día, para salir al amparo de la oscuridad a buscar comida, por lo que las personas que madrugan tienen más probabilidades de verlos.

• Si vive cerca de un colegio, pida al jefe de estudios que ponga un anuncio. A casi todos los niños les gustan los animales, y seguramente perderán un poco de tiempo mientras vuelven a casa mirando a ver si encuentran al gato.

• Informe al club felino de su localidad, al club de criadores si su gato es de raza, a las protectoras de animales y a las consultas de los veterinarios.

• Ponga un anuncio en la sección de «Objetos perdidos» del periódico de su localidad.

• Informe a la policía, subrayando que sospecha que lo han robado. Si su gato es de raza, este es el momento de declarar su valor.

• Si falla todo lo anterior, intente telefonear al departamento de limpieza de su ayuntamiento: en caso de que el animal hubiera sido atropellado, tal vez sean ellos los que lo encuentren muerto en la calle.

No pierda la esperanza. Se sabe de gatos que regresan a casa por sí solos después de transcurridos muchos meses. La mayoría de clubes de gatos y protectoras de animales tienen una red de contactos a escala nacional; muchos gatos perdidos al final logran reencontrarse con sus dueños.

✦ DERECHA
Todo gato que deambule por el exterior de la casa debería llevar collar y una etiqueta con el nombre, la dirección y el número de teléfono de su dueño; no ponga el nombre del gato en la placa, ya que permitiría a un presunto ladrón a intentar ganarse la confianza del felino.

◆ ARRIBA
Los gatos son excelentes trepadores, al menos a la hora de subir. En cambio, bajar les cuesta más, sobre todo si son jóvenes; tal vez necesiten ayuda.

◆ IZQUIERDA
Para evitar que los gatos trepen a los árboles y se queden allí sin poder bajar, clave un trozo de tela metálica invertida alrededor del tronco a unos 2 m de la base.

más probable que un felino confiado se vaya con un extraño cuando este le llama por su nombre... y el extraño podría ser un ladrón.

TRAMPAS. En las ciudades son poco frecuentes, pero en el campo suponen un serio problema para los gatos. Muchas trampas son ilegales, pero ello no impide que los cazadores furtivos las usen. Siempre que le sea posible, procure que su gato permanezca en el jardín y revise periódicamente las zonas boscosas, lugar predilecto de los tramperos, búsquelas, y si las encuentra informe a la policía, que las retirará sin riesgos. No intente desmontarlas usted mismo, porque son peligrosas.

ÁRBOLES. La escena de un gato subido a un árbol y los bomberos intentando hacerlo bajar no se vive solo en el cine. Les ocurre sobre todo a los cachorros, por lo que debe vigilar a los gatitos mientras exploran el jardín; pero también les sucede a los gatos adultos, y los bomberos no siempre acudirán cuando tienen cosas más importantes que atender. Hay un truco sencillo para impedir que los gatos trepen a los árboles difíciles: a unos dos metros del

suelo, clave una tela de gallinero o similar (pero no alambre de espino) en el árbol, en forma de abanico: el gato no podrá agarrarse bien para trepar, pero tendrá suficiente tronco para jugar y arañar la madera.

AGUA. Piscinas, estanques, lagos y ríos son lugares potencialmente peligrosos. Para contradecir el mito popular de que el gato huye del agua, casi todos estos felinos saben nadar, aunque no bien, por lo que el agua representa un riesgo para ellos. En realidad solo hay dos posibilidades: mantener al gato lejos del agua o tener el agua lejos del gato. Cubra las piscinas y estanques con un material a prueba de gatos, como tela de gallinero. Más difícil resulta resolver el problema en lagos grandes, ríos y corrientes; aquí tal vez pueda poner tela de gallinero a modo de valla. Otra opción, cuando la anterior no sea posible, será encerrar al gato en casa o en un recinto exterior adecuado.

◆ ABAJO
Los gatos que se mueven con libertad disfrutarán del placer de explorar el territorio a sus anchas y, en cierta medida, aprenderán a afrontar los peligros que ello conlleva. El gato de la imagen se ha tumbado a la orilla del río, pero no se arriesga a investigar el agua más de cerca.

RECINTO PARA GATOS

Otra buena opción puede ser un recinto para gatos, sobre todo en jardines grandes donde no queden demasiado mal. Muchos criadores de gatos de raza tienen casas para gatos especiales con recintos en sus jardines bastante visibles. Sin embargo, una pequeña zona aneja a la casa con acceso directo desde el edificio principal, por ejemplo desde una ventana o una puerta que dé a la cocina o al trastero, permitirá que el gato se pasee sin riesgo de que lo roben. Compruebe que la construcción es sólida, utilice maderas pesadas que den al animal la impresión de que está en un jardín, cubiertas con tela metálica y techadas (esto último es importante, porque el gato podría trepar por la alambrada y huir hacia el mundo exterior). Para tener un máximo de luz, use en el tejado planchas acrílicas, como plexiglás o perspex, y plantas trepadoras alrededor de la tela para que el conjunto sea más agradable a la vista. Algunos recintos para gatos parecen pequeños invernaderos sin paredes.

Un pequeño recinto construido junto a la casa permitirá que el gato disfrute del aire libre sin ningún riesgo.

Posiblemente hay más peligros en una cocina que en cualquier otro lugar de la casa. Después de usarla, el dueño ha colocado con cuidado una cacerola vacía en la placa de cerámica aún caliente (DERECHA); la cacerola se ha calentado, y el gatito ha decidido arrebujarse dentro. La situación puede ser más peligrosa cuando el gato (ABAJO) decide investigar una cazuela con pescado hirviendo.

PELIGROS DENTRO DE CASA

Dentro de una casa cálida y ordenada podría pensarse que los gatos están libres de riesgos. Pero ¿es realmente así? Eche un vistazo a su hogar. Determine los lugares peligrosos, y las precauciones de seguridad

que adoptaría para un niño que gatea, y aplíquelas también al gato.

Las **COCINAS** suelen ser los puntos más problemáticos de la casa. Todo gato que se precie querrá tomar parte en la barahúnda de las comidas puestas en el fuego, las charlas de la gente, el chirriar de las máquinas y, sobre todo, la calidez que emana de esta encarnación de la vida doméstica; a todos les gusta sentirse parte de la familia.

No deje nunca de vigilar las cazuelas y las ollas. Los interesantes olores de la cocina atraerán al gato, incitándolo a investigarlos. En el peor de los casos, pueden resultar serias escaldaduras; en el mejor, puede que la sopa haya desaparecido.

Las placas eléctricas, sobre todo las de cerámica, permanecen calientes durante un tiempo después de haberlas usado. No deje que el gato merodee alrededor, a no ser que tengan una tapa que pueda cubrirlas por entero. En caso contrario, ponga una cazuela llena de agua fría encima del fuego caliente para que absorba el calor o mantenga al gato lejos de la cocina hasta que el aparato se haya enfriado.

Las lavadoras y las secadoras ejercen sobre los gatos una especie de atracción fatal. Habrá observado cómo les gusta mirar

♦ DERECHA
*Aunque es difícil que
un gato crecido como
este se ahogue en
una pila de agua
con jabón, para un
cachorro la situación
que ilustra la imagen
representaría
un peligro.*

Los desinfectantes forman parte de nuestra vida cotidiana, y abundan en la zona donde se prepara la comida. A nadie le gustaría intoxicarse por ingerir comida que ha tocado superficies sucias. Pero ¿qué desinfectante usar? A los gatos les gusta merodear por la cocina, y probablemente también comerán en esta estancia, así que conviene mantenerlos lejos de las superficies donde se trabaja. Estos felinos pueden absorber toda clase de venenos y toxinas a través de sus patas, y algunos desinfectantes pueden contener fenoles y cresoles potencialmente letales para ellos. Lea detenidamente las etiquetas de los desinfectantes. Algunos productos no indican todos sus componentes; evítelos, y elija otros con los que se sienta más seguro.

BAÑOS. El principal peligro en el cuarto de baño es el agua, y el riesgo de que se ahogue. Si llena la bañera no la deje nunca sin vigilar o, en ese caso, cierre bien la puerta del cuarto de baño para que el gato no pueda entrar. Haga lo mismo con el lavabo. Los gatos podrían salir escaldados

◆ ABAJO

A los gatos les gusta sentarse en la cocina y hacer allí su aseo; después de haberse paseado por la encimera, este gato se está lamiendo las patas. Es responsabilidad de los dueños saber qué detergentes son inofensivos para sus animales de compañía; cerciórese de que la marca que compra no contiene fenoles o cresoles.

◆ ARRIBA

Los gatos sienten fascinación por los electrodomésticos de la casa, y frecuentemente intentan morder los cables, para desesperación de sus amos. Si un gato se las arreglara para traspasar la protección de los cables eléctricos podría sufrir una descarga letal.

el tambor de la lavadora cuando da vueltas. (Los míos encuentran particularmente interesante el programa de centrifugado.) Pero las lavadoras pueden ser fatales para un gato. No deje nunca la puerta abierta, pues el felino saltará dentro y se arrebujará para dormir al calor del aparato. Tampoco es difícil echar al gato a la lavadora mezclado con la ropa sucia antes de poner el programa: el gato saldrá muy limpio, pero también muy muerto. Eso mismo puede decirse de la secadora, que terminaría por asfixiar a un felino encerrado en su interior. Aplique una regla muy sencilla: no cierre nunca la portezuela de estas máquinas hasta haber hecho un recuento de los gatos residentes. Ponga una nota en las portezuelas para que hasta los visitantes conozcan bien las reglas de la casa.

Los gatos también podrían ahogarse en una pila llena de agua. Aunque es poco probable que le suceda a un felino adulto, el riesgo es considerable en el caso de los cachorros. Cuando no esté usando el fregadero, quite el tapón y vacíelo.

✦ DERECHA
Una chimenea abierta siempre puede encastrarse para que el fuego esté resguardado.

✦ IZQUIERDA
Por alguna razón, los gatos parecen sentirse bien entre la ropa sucia y llegan incluso a dormirse en el cesto para lavar; para prevenir situaciones como la de la imagen, revise bien el cesto, no sea que el gato esté dentro y lo meta en la lavadora.

PLANTAS VENENOSAS

Hay muchas plantas peligrosas para los gatos. Algunas, como las semillas del codeso, son letales si se ingieren, pero son muchas más las que provocan serios trastornos estomacales. Incluso las plantas de interior y las flores cortadas son fuente de problemas. Casi todos los gatos saben instintivamente que una cierta planta es venenosa, y la evitan. En caso de duda, consulte con el veterinario para que le aconseje. Algunos gatos tienen alergias, semejantes a la fiebre del heno en los seres humanos, y sufren reacciones a ciertas plantas y árboles.

◆ ARRIBA
Algunas plantas de interior pueden suponer riesgos para los gatos; la poinsettia y el muérdago, por citar dos de las más comunes, son venenosas. Consulte las guías de plantas para asegurarse de que los ejemplares que tiene en la casa y el jardín no son un problema.

Esta es sin duda una bonita imagen, pero no olvide que hay muchas plantas de jardín tóxicas para los gatos.

con el agua caliente, así que le recomiendo que abra primero el grifo de la fría; los gatos se mueven con rapidez, y pueden meterse en el baño antes de que tenga tiempo de cerrar la puerta. También suponen un peligro los aseos, ya que muchas personas utilizan pastillas de productos químicos que se van descargando al vaciar la cisterna. Estas pastillas suelen ser muy tóxicas, por lo que conviene mantener bajada la tapa del inodoro si el gato entra en el aseo.

OTROS PELIGROS acechan en las habitaciones con tomas de electricidad y electrodomésticos. Los gatos, animales curiosos y juguetones, opinan que los cables eléctricos y del teléfono han sido diseñados como juguetes para que ellos se diviertan, y les encanta masticarlos. Hace unos años, uno de mis amigos se pasó el día de Navidad reanimando a su gato, que había mordido el cable de las luces del árbol. Su decidida acción logró salvar la vida del animal, pero no todo el mundo sabe cómo hacerle el boca a boca a un gato (*véase* «Cuidados de salud»). Si a su gato le gusta morder cables, ponga un tubo especial para proteger las tomas de todos los electrodomésticos: puede encontrar ayuda en las lampisterías.

Los objetos de una casa, como los costureros, contienen agujas y alfileres que pueden ser fatales para un gato. También los ovillos de lana y las bobinas de hilo pueden enrollársele en la lengua y tragárselos con lo que podría atragantarse o asfixiarse. Hasta un cajón del escritorio puede ser peligroso si contiene gomas de borrar y clips que podrían producir daños a un gato.

En las casas se guardan **PRODUCTOS QUÍMICOS** de todas las clases; los más habituales son los productos de limpieza, aunque también otros productos de bricolaje, como colas y disolventes, diluyentes de pintura, trementina y la propia pintura pueden ser tóxicos. Todas estas sustancias deben guardarse fuera del alcance de los gatos (y de los niños), preferiblemente en un trastero o un cobertizo.

Cuando vaya a cambiar la decoración de la casa lea muy atentamente las etiquetas. Casi todos los modernos productos de pintura, cola de papel pintado y conser-

vantes de madera contienen fungicidas y otros agentes antibacterianos. Estos productos pueden ser letales para un gato. Manténgalo lejos de las habitaciones que está pintando hasta que se hayan disipado los vapores. Además, como los gatos pueden absorber las toxinas al lamerse las patas, incluso de las salpicaduras de la cola del papel pintado esparcidas por el suelo, cerciórese de que ha limpiado bien las superficies después del trabajo.

VENTANAS ABIERTAS. Los gatos encerrados en un piso o una casa necesitan aire fresco, pero cualquier miembro de la especie felina que se precie pronto aprenderá a salir por las ventanas abiertas, con consecuencias horribles si sucede en un octavo piso. Es muy fácil poner un sobremarco de madera cubierto con tela metálica encima del marco de la ventana, que deje circular el aire fresco y propicie la seguridad del gato. Las **TERRAZAS EN ALTURA** constituyen otro problema ya que, como lugar estupendo para sentarse en las cálidas tardes de verano, inducirán al gato a acompañarle, con el riesgo de que pueda saltar por la barandilla. El riesgo es todavía mayor si el gato puede acceder desde la terraza a un árbol cercano. Una tela de gallinero con marco de madera cubierta con plantas trepadoras, le disuadirá.

◆ ARRIBA
Algunos gatos encerrados en un apartamento tienen suerte de poder salir a la terraza o a la azotea. Como, normalmente, estas estructuras están situadas a una altura de varios pisos, es aconsejable poner alrededor una tela metálica o un varaseto, disimulados con enredaderas, para que los animales no se caigan.

CRÍA DE GATOS

La cría de gatos es una afición apasionante, pero cara. Pocos son los criadores que ganan dinero vendiendo sus cachorros y, para la mayoría, la cría es una manera placentera de pasar el tiempo y una forma excelente de hacer nuevos amigos. En este capítulo encontrará toda la información necesaria sobre el apareamiento, la cría y el cuidado de la gata y sus cachorros.

La decisión de criar gatos debe tomarse únicamente después de tener en cuenta algunas consideraciones. Si ha comprado un gato de raza, le habrá costado una suma considerable. Habrá visto también que la madre ha tenido seis o siete cachorritos, o incluso más, y no hay que ser un genio de las matemáticas para deducir que las ganancias de la venta de esos cachorros darán un buen impulso a la economía del criador. Tal vez sienta la tentación de criar gatos usted mismo (aunque algunos países como en el Reino Unido es frecuente que se inscriba al comprador en un registro que le prohíbe tal práctica; en otros como Estados Unidos, se anota a veces «no para cría» en las hojas de registro).

Acaso haya adquirido, por otra parte, una preciosa gata sin pedigrí, y le parezca conveniente tener al menos una camada de gatitos antes de esterilizarla.

Le aconsejamos que piense bien las razones que le animan a criar gatos, y que se pregunte si será capaz de hacerse cargo de los gatitos que, por su decisión, habrán venido al mundo. Ya sean animales con un pedigrí tan largo como su brazo o el resultado de un apareamiento accidental, son seres vivos que dependen totalmente de *usted* para empezar a vivir. Con o sin pedigrí, le costará lo mismo alimentarlos, y deberán recibir el mismo trato humano cuando encuentren una casa que los acoja.

Si lo que piensa es montar un negocio de cría de gatos que le reporte unos ingresos extraordinarios con un mínimo de tiempo y esfuerzo, puede llevarse un serio disgusto.

✦ ABAJO
Un criador responsable pesará a menudo a los cachorros para cerciorarse de que están progresando bien; esta gata tiene, obviamente, una idea distinta sobre la cuestión.

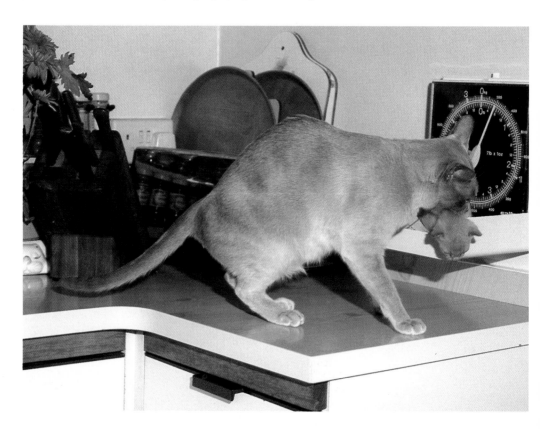

◆ IZQUIERDA
Es muy frecuente que sea la madre la que atienda todas las necesidades de las crías. Este grupo familiar es poco frecuente, en el sentido de que también el padre está colaborando.

◆ DERECHA
Estos tres gatitos siameses de puntas de foca muestran claramente en la cara, las orejas, las patas y la cola apuntes del color que tendrán de adultos.

◆ DERECHA
*La operación para
esterilizar a una gata
es relativamente rápida
y, normalmente, el
animal se recupera
en apenas veinticuatro
horas. La pequeña
cicatriz resultante
y la calva del costado
desaparecerán
en un tiempo.*

buscar un nuevo hogar para un gato, y corresponde al criador asumir esa responsabilidad. ¿Tiene sitio para realojar al gato o cachorro, o pasará a engrosar la lista de felinos abandonados? ¿Se siente suficientemente preparado para aconsejar a un posible comprador sobre la salud y el bienestar del gato?

Como puede ver, criar gatos es una afición exigente y cara, pero la dedicación a la madre y su progenie le brindará muchas horas de placer. Ver a una gata jugando con sus crías es mucho más entretenido que cualquier programa de televisión.

ESTERILIZAR O NO ESTERILIZAR

Cuando un gato esté destinado a convertirse simplemente en animal de compañía, lo mejor será esterilizarlo. Los gatos no esterilizados terminarán por ser una molestia tanto en la propia casa como para los vecinos si se les deja deambular libremente. Una hembra en celo hará tanto o más ruido que un macho, como si fuera un bebé que no parara de llorar pero todavía más agudo.

◆ ARRIBA
Las gatas son madres maravillosas, pero salvo si se ha pensado en usarlas para cría suele ser mejor esterilizarlas y evitar añadir nuevos miembros a la siempre creciente población de cachorros.

Considere los gastos:
- Licencia de criador.
- Prueba de VLFe y otras enfermedades transmisibles.
- Calefacción para los cachorros.
- Dieta especial para la madre durante la gestación y la lactancia.
- Alimentación de los gatitos después del destete.
- Complejos vitamínicos y minerales.
- Publicidad para vender los cachorros.
- Papeles para pedigrís, y hojas de dietas.
- Vacunas.
- Gastos de registro y envío.

También existe la posibilidad de que surjan problemas en la gestación, el parto o el período de destete, todo lo cual supone gastos de veterinario. No es difícil que un novato en la cría pierda varios de los gatitos de la camada, sobre todo si no tiene a nadie experimentado que le aconseje; es posible que de una primera camada sobrevivan hasta las doce semanas solo uno o dos cachorros. De ello se deriva un recorte considerable en el margen de beneficios, y el criador debe poder asumir estos costes.

Por muy bien que haya examinado a un posible comprador de alguno de los cachorros, siempre puede pasar que lo devuelva. Los matrimonios fracasan, las casas se venden, nacen nuevos niños: todas estas son razones que pueden obligar a

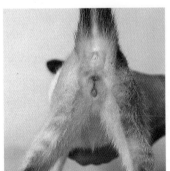

Si tiene dudas sobre el sexo de su gato o cachorro, consulte estas fotografías, correspondientes a un macho (IZQUIERDA) y una hembra (ABAJO).

Salvo si tiene en mente un programa de cría o sabe de casas concretas que puedan acoger a los gatitos, la acción más sensata y responsable en este caso es esterilizar al animal.

La esterilización es una operación sencilla. En los machos lleva menos tiempo; basta con hacer una incisión en el escroto, separar los dos testículos, cortar el vaso deferente, extirpar los testículos y suturar. En una hembra se requiere cirugía abdominal, pero tampoco supone demasiado tiempo. Lo habitual es hacer una incisión de 1 cm de largo, aproximadamente, en el costado de la gata; en un animal más mayor puede hacerse en la línea media, con una incisión más larga que recorra la parte del vientre. Después se extirpan los ovarios y el útero, y se cose la abertura. Muchos veterinarios usan puntos reabsorbibles, por lo que no hay que volver a intervenir al animal. En general, castrar a un macho lleva unos dos minutos, y a una hembra unos cinco, por lo que la anestesia es mínima y la recuperación rápida; los machos suelen estar despiertos y saltando cuando llegan a casa, mientras que las hembras pueden necesitar veinticuatro horas de convalecencia.

Es mejor no esterilizar al gato demasiado pronto; lo correcto sería hacia los seis meses. Si se hace antes de esta edad, cuando el sistema endocrino no está totalmente desarrollado, más adelante pueden aparecer problemas hormonales, como un eccema miliar. Si su gato es hembra y tiene el celo precozmente, puede darle anticonceptivos con inyecciones o píldoras semanales, hasta que tenga el tamaño y la edad adecuados para someterse a la operación. Los machos pueden ser también precoces e intentar aparearse o rociar con orina, o ambas cosas; en tal caso, lo mejor es no retrasar la esterilización.

Una advertencia: los gatos no tienen escrúpulos morales, y no es raro que los hermanos se apareen; si compra un par de cachorros de la misma edad, esté alerta a posibles signos de celo en la hembra, corre el riesgo de convertirse en criador de gatos antes de lo que le gustaría.

Si ha decidido tener crías de su gato, y está convencido de que encontrará buenos hogares para ellas, debería elegir una pareja felina adecuada.

BÚSQUEDA DE UNA BUENA PAREJA PARA CRIAR

El primer sitio en el que se iniciará la búsqueda es el criador de nuestro gato, quien probablemente nos recomendará una pareja genéticamente compatible. No es aconsejable emparejar gatos emparentados, como madre con hijo o padre con hija, salvo si se es un criador experimentado; aun así, solo se hará tras comprobar que no se producirán deformidades. Otra opción es entrar en contacto con un club de criadores que podría darle una opinión independiente sobre un dueño fiable del gato propuesto como pareja.

Si le es posible, procure no llevar a su gata demasiado lejos para su primer apa-

◆ ARRIBA
Los machos sementales suelen confinarse en recintos especiales, ya que la mayoría de ellos conservan la costumbre de rociar el lugar con orina y pueden mostrarse antisociales en un ambiente doméstico.

reamiento. El celo es una experiencia nueva para ella, y se sentirá un tanto confusa; si la mete en la jaula y conduce un montón de kilómetros en coche, tal vez la intimide y se le «corte» el celo.

Si piensa que ha encontrado la pareja ideal, vaya a verla y visite las instalaciones. Su gata permanecerá allí varios días, cuando no una semana, y se sentirá más tranquilo si sabe que está a gusto con el semental, su dueño y la atención, los cuidados y el alojamiento que se le da. Si le entran dudas, busque en otro lugar.

No se deje seducir por los premios que haya obtenido un gato en los concursos; no siempre el campeón es el mejor semental ni tiene los cachorros más sanos, ni tampoco por ello su dueño dará a su gata la mejor atención posible durante su estancia. Tampoco se impresione porque el propietario del gato tenga varios sementales disponibles; estos gatos se crían normalmente en recintos exteriores y, cuando haya varios, cerciórese bien de que reciben toda la atención que necesitan y, lo que es más importante, que su gata también la recibirá.

Si todo parece estar en orden y quiere seguir con el apareamiento, el dueño del semental le hará bastantes preguntas.

Documentos que le pedirá el dueño del semental:

- Certificado de pedigrí.
- Documento de registro.
- Certificado de vacunación.
- Certificados negativos de VLFe/VIF.
- Nombre del gato.
- Dieta favorita.

Estas personas querrán conocer la línea genealógica del gato que aceptan para la cría, saber que el gato está inscrito con el nombre del propietario y que el criador lo ha registrado como apto para la cría. Los certificados de vacunación y de VLFe/VIF negativos le garantizan que los riesgos de infección son mínimos.

Este intercambio de información debe ser recíproco, y el dueño de gatos de cría le ha de mostrar también sus certificados. Además, si conoce el nombre del animal y su dieta preferida, la gata se aclimatará mucho más deprisa.

◆ DERECHA
Como los gatos sementales pasan la mayor parte del tiempo en recintos adecuados, un dueño responsable procurará que estos recintos tengan todas las comodidades que sea posible.

CUÁNDO ESTÁ UNA GATA LISTA PARA EL APAREAMIENTO

Las gatas pueden ser criaturas precoces, las de ciertas razas más que otras. Se sabe de algunos ejemplares que con dieciséis semanas ya empiezan el celo, demasiado pronto para pensar en un acoplamiento formal, pues debe esperarse a que el animal tenga al menos un año.

La actitud de la gata en celo es muy provocativa, con las ancas contoneantes y los cuartos traseros elevados y expuestos. No en vano, en inglés se la llama *queen* (reina), algo que en su origen nada tiene que ver con la realeza sino con el antiguo vocablo *quean* (desvergonzada). La primera vez que la «reina» tenga el celo, póngase en contacto con el dueño de los sementales y dígaselo. Lo mejor es aparear a la gata en el segundo o tercer día del celo, si bien una persona experimentada le aconsejará que la lleve junto a su pareja lo antes posible.

El propietario de los gatos de cría vigilará todos los apareamientos y, cuando esté seguro de que han tenido éxito, le telefoneará para que se lleve a la gata. En ese momento, debería obtener un certificado con todos los detalles del pedigrí del semental, las fechas del acoplamiento y también la fecha en que deberían nacer los gatitos.

CUIDADOS EN LA GESTACIÓN

Veintiún días después del apareamiento, aproximadamente, podrá decirse si este ha logrado su propósito; a esas alturas los pezones de la gata deberían estar ligeramente abultados, con un tono rosa oscuro. Si sucede así, tendrá entre manos una gata preñada, y debería cambiarle la dieta. En caso de duda, el veterinario debería resolverlas, o tal vez el dueño del semental, que estará acostumbrado a tratar con gatas gestantes.

En cuanto confirme la gestación de la gata es aconsejable introducirle complejos vitamínicos en la comida; sin duda, llevará en su seno más de un gatito en formación y necesitará toda la ayuda que pueda dársele. El calcio le vendrá bien, pues favorecerá el desarrollo de los huesos de los cachorros. El veterinario le recomendará varios compuestos de polvos que podrían sumarse a los restantes minerales y vitaminas de refuerzo, si fuera necesario, y le indicará también durante cuánto tiempo debe prolongar este aporte suplementario. Muchos criadores con experiencia han descubierto que las hojas del frambueso benefician a una gata preñada desde el quinto mes de gestación y hasta una semana antes del nacimiento.

El período de gestación de un gato es de sesenta y cinco días, aunque puede oscilar

El semental, cuando se
aparea con una hembra,
se agarrará mejor si se le
proporciona una alfombrilla.
El gato sujeta a la hembra por
el pescuezo (IZQUIERDA) y la
coloca en la mejor posición
para la penetración (ABAJO).

♦ IZQUIERDA
Las gatas preñadas
aumentarán
claramente de
volumen y sus
pezones se harán muy
visibles.

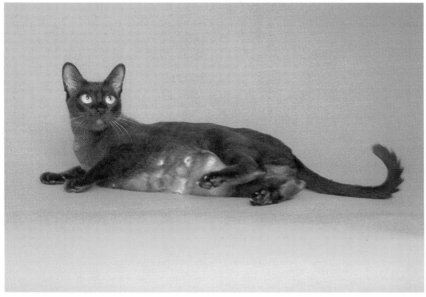

◆ DERECHA
Esta gata,
evidentemente
en gestación,
está solo a un día
o dos de tener
cachorros.

en uno o dos días arriba o abajo. A no ser que parezca seriamente trastornada, no hay motivo de pánico si la gata no tiene a los cachorros exactamente en la fecha prevista. Unos días antes del acontecimiento, tal vez necesite preparar el nido. Quizá elija para ello un lugar que no sea el más conveniente para usted, como el mueble del dormitorio, un cajón o el armario de la ropa. Cuando le sea posible ofrezca a su gata una caja adecuada como nido, que podría ser una de cartón; colóquela en algún rincón oscuro y tranquilo. Sería ideal una jaula para guardar a los cachorros; si está pensando en tener una sola camada, tal vez el criador de su gata le preste una. En tal caso debería desinfectarla a conciencia con una sustancia que no perjudique a los gatos.

Cubra la caja alternando capas de tela de algodón y periódico; el parto puede ser bastante sucio, y es muy importante que los gatitos se encuentren lo más calientes y secos posible. Con esta acumulación de capas en la caja podrá retirar la parte sucia después del nacimiento de las crías.

EL PARTO

Si es usted un criador novato y tiene preguntas o dudas durante el proceso del parto, póngase en contacto con una persona experimentada, como el criador de su gata o el dueño del felino con el que se apareó, para que le aconsejen. No llame todavía al veterinario; no todos los veterinarios son criadores de gatos, y solo acuden a los partos que tienen problemas. Sin embargo, es probable que todo vaya bien y según lo previsto. La mayoría de las gatas paren sin dificultad, y no tienen problemas para dar a luz a su camada.

El primer signo de la inminencia del parto es la aparición de una «burbuja» en la vulva, que es la bolsa abultada; en ese momento, la gata romperá aguas y se contraerá visiblemente. Estos animales están preparados para partos múltiples, a diferencia de la especie humana; ello significa que tendrán varias crías pequeñas, no una grande, por lo que cada nacimiento individual será sencillo. La mayoría de las gatas

no dejan de ronronear durante el parto y solo descansan cuando todas las crías están a salvo. El dueño de la gata ha de prepararse para hacer de comadrona, tener a mano toallas limpias (o rollos de papel de cocina), tijeras de punta roma y un cuenco de agua hervida por si la gata necesita ayuda.

Estos animales suelen saber muy bien lo que han de hacer, pero una gata sin experiencia puede parecer confusa; debería morder el cordón umbilical, liberando al gatito de la placenta, y lavarlo con mucho cuidado con su lengua rasposa para estimular la circulación. Esto no siempre sucede, y tal vez tenga usted que cortar el cordón y estimular a la cría. Corte el cordón a unos 4 cm del gatito, y recuerde apretarlo bien inmediatamente por debajo del punto de corte para restañar el flujo sanguíneo y ayudar a que el cordón coagule y se cierre. Luego, frote al gatito vigorosamente.

Si parece que la cría no respira, actúe de inmediato. Tal vez tenga agua en los pul-

♦ ARRIBA
Una caja para los cachorros es un nido ideal. Antes del parto, cubra la base con capas alternas de algodón y periódico, ofreciéndoles así un lecho suave y cálido para cuando nazcan.

mones por inhalación de líquido amniótico, que debería expulsar con toda rapidez. Tome al gatito en sus manos, agárrelo fuerte y sujétele la cabeza con el dedo índice como soporte, balancéelo en un movimiento semejante al de un lanzamiento de críquet (pero sin que se le escape de las manos). Así debería librarle de parte del contenido líquido de los pulmones.

Cada cachorro está unido a una placenta, que durante el parto deja de cumplir su objetivo principal: aportar los nutrientes a la cría mientras está en el útero. La placenta pasa a tener ahora una función diferente, que es servir de comida rápida y nutritiva a la madre para estimular la subida de la leche. Aunque la gata debe comerse al menos una placenta, no es preciso que las ingiera todas. Hace algunos años, un criador bienintencionado pero novato me telefoneó para decirme que su gata se había comido todas las placentas; aparentemente, el animal se había hartado después de la segunda, así que su gentil amo le preparó las otras seis con un poco de mantequilla y ajo en un tentador desayuno. Tal vez fuera llevar las cosas demasiado lejos.

A veces es posible que una gata primípara confunda a un gatito con la placenta, en cuyo caso podría intentar comerse una cría y amamantar a una placenta; cosas como esta son las que hacen recomendable vigilar el parto.

NACIMIENTO DE LOS GATITOS

Una cría, todavía envuelta en el saco amniótico, está a punto de nacer.

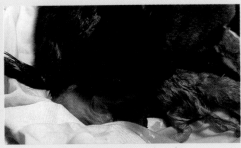

La madre corta el cordón umbilical con los dientes.

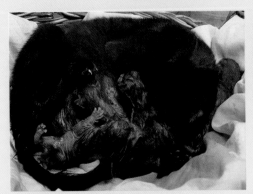

La lengua rasposa de la madre no solo ayuda a lavar y secar a los recién nacidos, sino que actúa como estímulo para favorecer la circulación.

La madre, orgullosa con su familia, un par de días después del parto.

NO HAY MOTIVO DE ALARMA

Algunos de los procesos del parto pueden parecer un tanto perturbadores si no se han visto antes, pero son perfectamente normales y no deben ser motivo de alarma. El proceso pasa por algunas fases un tanto pringosas:

• Poco antes del parto del primer cachorro se expulsa un tapón mucoso. Aun cuando esto suceda hasta una semana antes del nacimiento, no hay que preocuparse salvo si la mucosidad tiene un sospechoso color verdoso o va acompañado de hemorragia.

• El nacimiento de los gatitos es una experiencia tensa, y es frecuente que los recién nacidos padezcan angustia fetal;

lo mismo les sucede a los bebés humanos, y lo único que quiere decir es que la fuerza del parto provoca el vaciamiento del intestino y la expulsión de las heces.

• El nacimiento es un proceso sanguinolento, y no hay que asustarse por la cantidad de secreciones teñidas de rojo que se verán. La madre puede seguir sangrando ligeramente durante unos días. Si el color cambia o la hemorragia se vuelve profusa, póngase en contacto con el veterinario de inmediato, ya que podría ser señal de alguna infección que podría llegar a ser letal para la madre y los cachorros.

Resulta útil hacer una lista y anotar la hora del nacimiento de cada cría y el sexo, y verificar que en cada parto se ha expulsado la correspondiente placenta. Este último punto es importante, porque a veces la placenta no se expulsa inmediatamente. Si queda retenida dentro de la madre podría ocasionarle una grave infección. En caso de duda, hable con el veterinario.

El procedimiento puede durar en su totalidad desde una hora hasta medio día. A menos que aprecie signos de problemas serios en la gata no habrá motivo de preocupación; deje que la naturaleza siga su curso. Pero si la gata parece sufrir demasiado, o algún gatito tiene alguna dificultad para salir, es prudente que llame al veterinario o a alguien experimentado para que le aconseje.

CUIDADO DE LAS CRÍAS

Durante las primeras semanas la madre les dará a sus crías todo cuanto necesitan. Las alimentará, lavará y dará calor. Al cabo de unos diez días, los gatitos abrirán los ojos y empezarán a interesarse por el mundo exterior. Hacia las tres semanas querrán aventurarse cada vez más por los alrededores. Cuando llegue ese momento conviene advertir a todo el mundo en la casa que mire bien dónde pisa: es tan fácil cortar una pequeña vida aplastándola con el pie... (es aquí donde más interés tienen las jaulas para los cachorros de gato). Desde el momento en que se convierten en seres móviles hasta que dejan la casa cuando tienen ya doce semanas, la vigilancia debe ser constante.

Los cachorros se harán cada vez más curiosos, y a las cuatro o cinco semanas estarán dispuestos a lamer comida sólida. Los mejores alimentos para el destete son los que se preparan para los bebés, pero a veces también resultan adecuados el pollo o el pescado bien picado; las sardinas son muy recomendables, porque tienen un olor intenso y estimulan a los gatitos a comer, aunque es mejor darles pequeñas cantidades que les despierten el apetito, ya que son demasiado fuertes.

Cuando los gatitos tienen ya seis semanas deben ser capaces de comer alimento normal para gatos. Es importante darles una dieta variada de marcas diferentes, para que no se vuelvan maniáticos en épocas posteriores de la vida.

A las diez semanas, aproximadamente, los cachorros estarán listos para la primera de las dos vacunas. Este es un procedimiento sencillo, si bien ocasionalmente provoca alguna reacción a la inoculación. En general, no se trata de problemas graves; se saldarán con un par de días de ma-

continúa en la pág. 102

DESARROLLO DE LOS CACHORROS

◆ IZQUIERDA
Los gatitos nacen con los ojos cerrados y los primeros días de vida harán poco más que mamar y dormir.

◆ ABAJO A
LA IZQUIERDA
Al cabo de unos diez días, las crías abrirán los ojos.

◆ ABAJO A
LA DERECHA
Un cachorro de tres semanas tendrá las orejas tiesas, por lo que se parecerá más a una versión en miniatura del adulto en que se convertirá.

✦ DERECHA
Cuando tienen ya seis semanas, los cachorros deben ser destetados y se mostrarán encantados de comer alimento sólido.

✦ DERECHA
Bajo estricta vigilancia, estos gatitos de diez semanas están listos para explorar el jardín por primera vez.

✦ ABAJO
Con doce semanas de vida, vacunadas y destetadas, las crías pueden ya buscar un nuevo hogar.

lestar, posiblemente con moqueo y estornudos. Por ese motivo siempre es recomendable tener tranquilos a los cachorros en casa tres o cuatro días después de la vacuna antes de enviarlos a su nuevo hogar.

HÁBITOS ANTISOCIALES EN LOS CACHORROS

Los cachorros de gato a menudo están obsesionados con la materia fecal, lo que puede manifestarse de dos maneras.

Por un lado, pueden interesarse tanto por la bandeja sanitaria que intenten comérsela. Esto sucede frecuentemente porque está demasiado limpia; deje siempre un poco de arena mojada con orina cuando la cambie. Así estimulará al gatito a darse cuenta de cuál es la verdadera utilidad de la bandeja. También puede olvidarse completamente de esta arena sanitaria y usar papel en tiras hasta que el cachorro haya aprendido que la bandeja sirve para hacer sus necesidades. Si el gatito ingiere la arena u otro residuo sanitario para gatos, sobre todo la variedad de madera, se le hinchará el estómago y tal vez necesite tratamiento veterinario.

Aunque es poco frecuente, algunos cachorros son «sucios» y es extraordinariamente difícil crearles este hábito. Cuando un gatito se empieza a comportar así, no es extraño que le sigan los demás de la camada. La causa más habitual de esta conducta es que la bandeja sanitaria no está suficientemente limpia, y los cachorros tienen necesidad de defecar en cualquier otro lugar. Podría usar repelentes para gatos como protección, pero no conviene utilizarlos cuando en la casa hay gatitos demasiado pequeños.

Un consejo: a los gatos y los cachorros no les gusta nada comer en una zona sucia, así que pruebe a poner el comedero en el lugar que eligen preferentemente para defecar y verá lo rápido que se soluciona el problema. Cuando no sea posible colocar allí el comedero y el bebedero, intente cubrir la zona con láminas de plástico o estaño; a muy pocos gatos les agrada el ruido

de sus excrementos cayendo en estas superficies.

VENTA DE LOS GATITOS

Si ya tiene pensados los hogares de destino, invite a los posibles dueños a visitar a los gatitos con frecuencia. Los cachorros no serán vacunados hasta que tengan doce semanas, y los visitantes deben someterse a estrictos controles de higiene. Pídales siempre que se laven las manos con una solución desinfectante antes de manipular a las crías. El manejo de los gatitos por sus futuros dueños es importante, pues ayudará a estrechar el vínculo con el cachorro que va a formar parte de su casa.

Si su gata ha tenido más crías de las que tiene ya colocadas, tal vez tenga que poner algún anuncio. La mayoría de los clubes de criadores ofrecen el servicio de poner listas de cachorros disponibles, una buena idea para empezar: el posible comprador se habrá tomado al menos la molestia de acudir al club. También puede anunciarse en los periódicos locales y en las revistas especializadas. Con estas fuentes, los compradores le serán totalmente desconocidos, y la elección de los destinos más adecuados para la camada dependerá enteramente de usted (*véase* «Dónde encontrar un gato y cómo elegirlo»).

◆ ARRIBA
La mayoría de los cachorros sabrá instintivamente para qué sirve la bandeja sanitaria, y no será preciso entrenarlos.

◆ IZQUIERDA
A los gatitos les encanta jugar y explorar nuevas zonas; aunque el quemador está apagado y frío, no parece conveniente dejar que se explayen en la cocina, donde acechan numerosos peligros.

PROBLEMAS DURANTE LA CRÍA

Durante las primeras semanas de vida de los cachorros aparecen algunos problemas que pueden afectarles a ellos o a la madre. La información que aquí se aporta no debe inquietarle innecesariamente, aunque conviene que revise con detalle todas sus obligaciones por si fuera preciso adoptar alguna acción.

A veces, una gata es incapaz de dar leche a todos sus cachorros, sobre todo cuando las camadas son grandes; con una familia de cuatro (ABAJO) parece poco probable que surjan problemas.
A veces, la aparición de mastitis impide a la gata alimentar a sus crías. Los cachorros se desarrollarán bien con leche en polvo diluida en agua (véase «Falta de leche»), como demuestra este gatito (DERECHA).

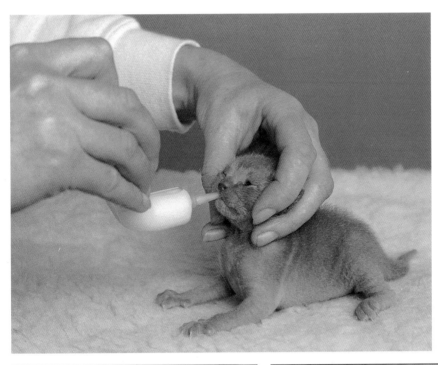

◆ IZQUIERDA
Si por alguna razón la madre no puede alimentar a sus crías, este biberón especial para gatos aportará a los cachorros los alimentos que necesitan (véase «Falta de leche», abajo en la página).

INTUSUSCEPCIÓN

DESCRIPCIÓN

Poco frecuente, este trastorno intestinal se produce cuando los intestinos se invaginan sobre sí mismos de manera telescópica, produciendo una obstrucción. Los síntomas son falta de apetito y ausencia de heces, dado que el intestino se encuentra bloqueado.

ACCIÓN

Si el caso no es muy grave se puede operar y extirpar la parte dañada del intestino; en casos complejos el pronóstico no es bueno, y probablemente será necesario sacrificar al gatito en la consulta del veterinario.

FALTA DE LECHE

DESCRIPCIÓN

En general, la leche de la madre se genera por un mecanismo de suministro y demanda; si los cachorros no tienen hambre o no la suficiente para mamar, tal vez se interrumpa el aporte de leche de la gata. Otra posible causa de la falta de leche es la mastitis *(véase a la derecha)*. En una camada muy numerosa, tal vez la madre no tenga suficiente leche para todos.

ACCIÓN

Si la camada es muy grande, tendrá que ir rotando a los gatitos, ofrecerles un complemento de leche en polvo diluida con una parte de leche por tres de agua esterilizada. Existen además sustitutivos de la leche de gato, si bien en ocasiones producen estreñimiento en los cachorros.

MASTITIS

DESCRIPCIÓN

La mastitis suele afectar a las gatas que amamantan a sus crías. Los síntomas se corresponden con los de un malestar general, si bien el signo más evidente es que una o varias de las glándulas mamarias están inflamadas y calientes al tacto. El mayor peligro es que, si la gata sigue amamantando, los cachorros beban leche infectada y se intoxiquen.

ACCIÓN

Es muy importante asegurarse de que los gatitos no maman de una glándula infectada; para ello puede tapar con vendas el pezón afectado, si bien conviene que consulte con el veterinario para saber qué se puede hacer. También es importante llevar a la madre lo antes posible a su consulta para confirmar el diagnóstico y recibir consejo y la prescripción de un tratamiento de antibióticos.

PIOMETRIO

DESCRIPCIÓN

Este problema puede afectar a gatas de cualquier edad, aunque es más probable después del parto. Es una infección del útero, que normalmente provoca una secreción espesa y cremosa de la vulva.

ACCIÓN

En casos leves puede tratarse con antibióticos, pero en los graves requiere la extirpación de los órganos reproductores, es decir, es preciso esterilizar a la gata.

CUIDADOS DE SALUD

Los gatos suelen ser criaturas saludables, pero no les vendrá mal someterse a vacunaciones anuales y a revisiones sanitarias. Las vacunas son extraordinariamente importantes para protegerlos de algunas enfermedades felinas, pero existen numerosas afecciones y dolencias contra las que no es posible una protección de este tipo. Aun así, si se aplica un método de cuidados constantes podrá detectarse cualquier cambio en el estado del gato y facilitar el diagnóstico y el tratamiento por el veterinario. También pueden producirse accidentes, de manera que este capítulo cubre todos los aspectos relativos al cuidado de un gato, consejos sobre síntomas, acciones y tratamientos.

VACUNACIÓN

La mayoría de los gatos ven al veterinario una vez al año, para las dosis de recuerdo. En esta visita, pida al veterinario que haga una revisión completa del animal, como si fuera un chequeo anual. Casi todas las enfermedades, atajadas a tiempo, se pueden tratar. Hoy día existen vacunas para muchas enfermedades felinas, aunque estas dolencias pueden variar de un país a otro, por lo que debe consultar cuáles son las vacunas aplicables a su gato.

Algunos felinos, como los seres humanos, sienten molestias después de las vacunas, posibles trastornos estomacales durante un par de días. No debe preocuparse por ello, a menos que el malestar persista después de transcurridas cuarenta y ocho horas. Lo importante es suministrar al gato la máxima protección posible contra las enfermedades de su especie.

El felino debería estar ya vacunado antes de que usted lo adquiera; en caso contrario, vacúnelo lo antes posible. Si ya tiene gatos en casa, separe al nuevo de los demás hasta que lo haya inmunizado. Des-

pués, aíslelo durante unos siete días, ya que tal vez sea «huésped» de algunos virus varios días después de la inoculación.

Como van apareciendo nuevas enfermedades, los veterinarios y los virólogos intentan aislar los virus causantes para desarrollar nuevas vacunas. En los últimos años se ha hablado mucho del virus de la leucemia felina (VLFe) y del virus de inmunodeficiencia felina (VIF), a los que se ha llamado el «sida de los gatos». Esta descripción es bastante incorrecta, y solo sirve para preocupar innecesariamente a la gente. Otras infecciones, como la peritonitis infecciosa felina (PIF) y la infección por chlamydia, se deben a virus en los que están trabajando actualmente los veterinarios.

Contra estos virus se han desarrollado, o se están desarrollando, nuevas vacunas, aunque no todas están homologadas para su empleo en distintos países, por lo que su disponibilidad es variable. Para obtener una información actualizada consulte con el veterinario.

◆ DERECHA
A las doce semanas de vida el cachorro deberá haber recibido un ciclo completo de vacunación.

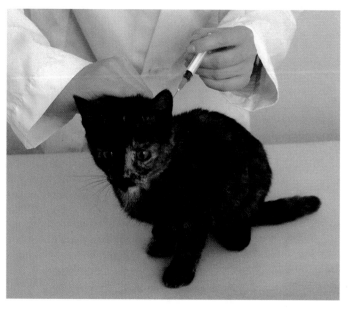

ENTERITIS INFECCIOSA FELINA

DESCRIPCIÓN/SÍNTOMAS

Este es un virus que ataca a una zona extensa del organismo, sobre todo los intestinos y el sistema nervioso central. Los síntomas de enteritis infecciosa felina (EIF) son muchos y variados, aunque no siempre están todos presentes. Normalmente, el gato aparecerá encorvado, con signos de malestar general y algo deprimido. Otros síntomas son vómitos, diarrea y consiguiente deshidratación.

ACCIÓN

Si su gato muestra alguno de estos síntomas, póngase en contacto con el veterinario lo antes posible, y enuméreselos; el virus de la EIF es enormemente infeccioso entre los felinos, aunque no suele sobrevivir demasiado tiempo fuera de los gatos. Por este motivo, seguramente el veterinario preferirá ir a su casa antes que permitir que lleve el gato a su consulta. Si se confirma la EIF hay pocas esperanzas de curación.

VACUNA

Esta es la vacuna más importante que debe administrarse a un gato, cuando tiene entre diez y doce semanas de vida, seguida de dosis anuales de recuerdo. Existen vacunas combinadas contra la EIF y la gripe de los gatos.

GRIPE DE LOS GATOS

DESCRIPCIÓN/SÍNTOMAS

Término genérico utilizado para referirse a dos virus que afectan al tracto respiratorio superior de los gatos: el calicivirus felino (CVF) y la rinotraqueítis vírica felina (RVF), un virus del herpes.

En ocasiones, el CVF solo provoca estornudos y moqueo, pero también es origen de problemas graves, como ulceración, sobre todo de la nariz, la boca y la lengua. La RVF afecta a la nariz, la tráquea y los pulmones y puede causar serios trastornos respiratorios.

En ambas enfermedades, el gato muestra tos y estornudos, con secreción acuosa en ojos, nariz y garganta, y pierde el apetito.

ACCIÓN

La gripe de los gatos representa probablemente el problema más serio en cachorros y gatos adultos y, si no se trata de inmediato, puede provocar la muerte. En un adulto sano los síntomas alcanzan la misma gravedad, pero el animal tiene más recursos para recuperarse. Pero aun si supera el mal, siempre existe el riesgo de que se haya convertido en portador y aloje el virus en su organismo que podrían infectar a otros gatos. Cualquier posible portador debe aislarse, o llevarse a un lugar donde no pueda poner en riesgo a otros gatos.

VACUNA

La vacuna combinada para CVF, RVF y EIF (trivalente) es la más común de las que se utilizan; proporciona una protección máxima para el gato. Se administra en un proceso de dos fases separadas por tres semanas, y normalmente se inicia entre la nueve y las doce semanas de vida del animal, según la vacuna concreta que se utilice. Algunas marcas se administran en forma de líquido vertido en la nariz, y no son recomendables para todos los gatos. El veterinario le aconsejará sobre la mejor variedad para su gato o cachorro.

VIRUS DE INMUNODEFICIENCIA FELINA

DESCRIPCIÓN/SÍNTOMAS

Es un virus que ataca al sistema inmunitario, más semejante en su estructura al VIH que al VLFe (*véase más abajo*) pero no transmisible entre las dos especies. Produce un deterioro del sistema inmunitario, pero los gatos infectados pueden vivir sanos mucho tiempo antes de que aparezcan infecciones secundarias.

ACCIÓN

Al igual que el VLFe, la presencia del virus de inmunodeficiencia felina (VIF) puede detectarse en la sangre. Si el veterinario opina que la causa de la enfermedad puede estar relacionada con este virus, hará unos análisis de sangre del gato.

VACUNA

Se está desarrollando una intensa labor de investigación, y se espera que pronto habrá una vacuna disponible contra el VIF.

VIRUS DE LEUCEMIA FELINA

DESCRIPCIÓN/SÍNTOMAS

En la actualidad es una de las enfermedades más controvertidas, a menudo mal entendida y equívocamente llamada sida de los gatos. Es cierto que existen semejanzas entre el virus de leucemia felina (VLFe) y el de inmunodeficiencia humana (VIH); el primero destruye el sistema inmunológico de los gatos y se transmite por contacto prolongado a la saliva y/o la sangre de un animal infectado, normalmente durante el apareamiento. Por esta razón, muchos propietarios de gatos para la cría insisten en que las gatas que se les presentan estén provistas de una prueba reciente de VLFe.

En cierta manera, la estructura química de los dos virus es similar; es más, algunos de los primeros indicios de hallazgos de anticuerpos del VIH se lograron examinando el parecido, y sobre todo ha de subrayarse que estos dos virus no son interactivos ni transmisibles.

ACCIÓN

Los síntomas de VLFe varían según la naturaleza del virus. Los gatos no mueren por este virus, aunque resultan afectados por otras enfermedades debido al deterioro de su sistema inmunológico. Serán las infecciones persistentes las que, probablemente, llevarán al veterinario a ampliar la investigación, y un simple análisis de sangre revelará si el virus está o no presente. Si la prueba es positiva, se repetirá al cabo de quince días o más. Es bastante probable que un gato dé positivo inicialmente por haber tenido un contacto reciente con el virus pero, una quincena más tarde, produzca un resultado negativo, muestra de una infección solo transitoria por el VLFe.

Como la investigación sobre el virus VLFe sigue avanzando, es importante hablar con el veterinario, quien le transmitirá las informaciones más recientes. Recuerde que esta infección no es una sentencia de muerte para un gato, aun cuando sea portador del virus; no obstante, si tiene otros gatos no infectados, lo más responsable es buscar un nuevo hogar para el enfermo en una casa sin más gatos, donde probablemente vivirá hasta una edad avanzada pero sin posibilidad de infectar a otros congéneres. Como sucede con la mayoría de los virus, el VLFe no vive fuera de un huésped felino, y es destruido por la mayoría de los desinfectantes.

VACUNA

Aunque en Estados Unidos existe una vacuna contra el VLFe, esta vacuna se empezó a usar en el Reino Unido solo desde principios de 1992. La vacunación es un proceso en dos fases, las dosis se administran separadas por quince a veinte días. Se aconseja vacunar solo a gatos sanos no infectados por VLFe, una prueba realizada antes de la inoculación para asegurarse de ello. Las gatas no infectadas por VLFe deben ser vacunadas antes del apareamiento; en cambio, *no* se vacunará a hembras gestantes.

> Es imposible contraer el sida de un gato con VLFe, de igual forma que ningún gato enfermará de VLFe contagiado por un seropositivo.

RABIA

DESCRIPCIÓN/SÍNTOMAS

Esta es una de las enfermedades más letales y, a diferencia de lo que sucede en la mayoría de las infecciones en animales, se transmite al hombre, a menudo con consecuencias fatales. Por este motivo, todos los países en los que no existe la rabia imponen un período de cuarentena a la importación de animales vivos desde territorios donde existe la enfermedad. El nombre clínico de la rabia es hidrofobia, que describe el síntoma final de esta dolencia: el terror al agua. A menudo el primer síntoma es un cambio en el temperamento; un gato normalmente dócil y tranquilo se vuelve agresivo de repente sin que medie provocación. Puede echar también espuma por la boca y, en fases tardías, sufrir parálisis, sobre todo en las mandíbulas.

ACCIÓN

Una vez que el animal ha contraído la rabia poco puede hacerse por él. Si se sospecha que tiene esta enfermedad, es imperativo ponerse en contacto con el veterinario para que confirme el diagnóstico; también habrá que advertir a la policía o a las autoridades locales. La enfermedad se transmite por la saliva y otros fluidos corporales, que contienen una alta concentración del virus. Ello significa que una simple lengüetada de un animal infectado en una herida abierta, por pequeña que sea, en un ser humano supone un riesgo de contraerla tan elevado como el que se asocia a su mordedura.

VACUNA

La mayoría de los países donde la rabia es endémica insisten en que todos los animales que pueden transmitir la enfermedad están inmunizados contra ella. Algunas naciones insulares, como Nueva Zelanda y el Reino Unido, son actualmente zonas libres de rabia. En el Reino Unido, la política gubernamental impone la no vacunación contra la rabia salvo en los animales que vayan a ser exportados, aunque esta norma bien podría cambiar con la apertura del túnel bajo el canal de la Mancha.

PERITONITIS INFECCIOSA FELINA

DESCRIPCIÓN/SÍNTOMAS

Cuando se descubrió el virus de la peritonitis infecciosa felina (PIF) se desató una gran ansiedad. Es una enfermedad extraordinariamente difícil de diagnosticar debido a la diversidad de los síntomas asociados, y el diagnóstico positivo solo puede establecerse normalmente postmortem, un momento sin duda poco favorable para la salud del gato. Al principio se pensaba que era un mal muy infeccioso, y el terror se instaló en el corazón de los criadores de gatos.

Parece que hay dos clases de PIF, húmeda y seca. La forma clásica se manifiesta por un abdomen inflamado, debido a que la peritoneo (membrana que tapiza la cavidad abdominal) está lleno de líquido. Otros síntomas son malestar general, diarrea, vómitos y pérdida de peso. La forma seca afecta al sistema nervioso y suele ser más difícil de detectar, ya que los síntomas se parecen a los de otras muchas dolencias. Estos síntomas son ictericia, problemas respiratorios, pérdida de coordinación y, en las últimas fases, convulsiones.

ACCIÓN

Investigaciones recientes demuestran que la PIF no es infecciosa, como se pensaba en un principio. El agente responsable es uno de los muchos virus corona; aunque es posible realizar análisis de sangre y establecer el nivel de valoración (concentración) de estos virus en el torrente sanguíneo, ello no aporta demasiada información sobre la cepa concreta de virus a la que ha estado expuesto el gato. Es importante saber que simplemente un resultado positivo de virus corona en el análisis de sangre no debe llevar obligatoriamente al sacrificio del animal. Hoy se piensa que el virus de la PIF se transmite principalmente por la saliva de un gato infectado; no puede vivir mucho tiempo fuera de un huésped felino y es destruido por la mayoría de los desinfectantes.

VACUNA

Hasta la fecha no existen vacunas posibles para el virus de la PIF, pero como la ciencia veterinaria progresa día a día tal vez se desarrolle pronto.

CHLAMYDIA

DESCRIPCIÓN/SÍNTOMAS

Hace relativamente poco tiempo que se ha aislado la chlamydia como un virus independiente. Los síntomas pueden ser muy parecidos a los casos graves de «gripe de los gatos», normalmente con importante secreción acuosa en los ojos y la nariz. No es una infección frecuente, y en general aparece en centros de cría de múltiples gatos.

ACCIÓN

Lleve al gato al veterinario para obtener un diagnóstico certero. Si se trata de infección por chlamydia, le administrará un ciclo de antibióticos. Es importante mantener húmedos los ojos del gato para evitar que se formen adhesiones entre el párpado interno y la córnea, y el veterinario prescribirá la medicación adecuada. Si el gato vive en un centro de cría con otros felinos, habrá que aislarle.

VACUNA

En el Reino Unido se ha desarrollado una vacuna, que cuenta con licencia para su administración por los veterinarios desde 1991.

PARÁSITOS

Existen dos clases principales de infestación parasitaria: interna y externa. Las dos producen malestar e incomodidad y, si no se tratan, pueden degenerar en enfermedades serias. Cuanto antes se detecten los signos de infestación más rápido será el tratamiento. Si sospecha que su gato puede tener alguno de los problemas que aquí se indican, llévelo al veterinario lo antes posible.

PARÁSITOS INTERNOS

LOMBRICES

DESCRIPCIÓN/SÍNTOMAS

En algún momento de su vida prácticamente todos los gatos tienen lombrices, que pueden ser de dos clases: lombrices intestinales y tenias. Ambas pueden evitarse desparasitando periódicamente al gato, para lo cual existen preparados especiales que suministra el veterinario.

Las lombrices intestinales viven en el intestino y se alimentan de parte de la comida digerida. Por ello, el gato no estará recibiendo todos los nutrientes necesarios de su dieta y tendrá un mal aspecto, un pelaje deslustrado y figura tripona. En gatitos pequeños, los resultados pueden ser más dramáticos que un simple deterioro externo: la posible aparición de diarrea, estreñimiento y anemia pueden hacerles caer gravemente enfermos. Los huevos de las lombrices se transmiten por las heces, y pueden provocar reinfestación si no se guardan buenas condiciones de higiene.

La infección por tenia suele identificarse por la presencia de una especie de extraños granos de arroz alrededor del ano, que son secciones rotas de la tenia que contienen huevos. Las pulgas actúan como huéspedes intermedios del ciclo de vida de la tenia: la pulga se come el huevo, el gato a la pulga y, de nuevo, el huevo pasa al intestino para iniciar un nuevo ciclo. Por este motivo es tan importante espulgar al gato.

ACCIÓN

Es posible «desparasitar» al gato de ambas clases de lombrices con una píldora, aunque este tratamiento no es siempre adecuado. El veterinario le aconsejará el preparado apropiado, la dosis que ha de suministrar al gato y la frecuencia con que repetirá la administración. Si compra un preparado en una tienda, lea las instrucciones antes de dárselo a su gato. En cualquier caso, estos preparados al por mayor no suelen ser tan eficaces como los que pudiera prescribirle el veterinario.

TOXOPLASMOSIS

DESCRIPCIÓN/SÍNTOMAS

Aunque no se trata estrictamente de una infección parasitaria, esta dolencia es objeto de gran publicidad y preocupación. Se trata de una zoonosis protozoaria, es decir, una enfermedad transmisible a los seres humanos por los animales, en particular, en este caso, gatos y perros.

El verdadero riesgo afecta a los embriones humanos a los que, en casos extremos, puede causar deformidades congénitas, como ceguera. Los huevos de toxoplasmosis se excretan en alta concentración en las heces de gatos infectados, por lo que es importante que las mujeres embarazadas se abstengan de manipular las bandejas sanitarias. Análogamente, recomiendan que los niños se laven bien las manos después de tocar al gato, sobre todo si se encargan ellos de limpiar la bandeja.

ACCIÓN

La toxoplasmosis rara vez provoca enfermedad en los gatos, y tampoco en una persona adulta.

PARÁSITOS EXTERNOS

Todo gato que salga solo al exterior tendrá un buen surtido de parásitos externos, todos deseosos de instalarse en un huésped felino.

◆ ABAJO
El motivo más obvio por el que se rasca un gato es que algo le pica, como se muestra en esta imagen. Sin embargo, si el felino se rasca de forma persistente tal vez tenga infestación por pulgas, y convendría consultar con el veterinario para conocer el tratamiento más adecuado.

PULGAS

DESCRIPCIÓN/SÍNTOMAS

Las pulgas son los parásitos más comunes, presentes en gatos de campo y de ciudad como una plaga universal.

Por lo general, el primer signo de infestación por pulgas es que el gato empieza a rascarse muy a menudo, sobre todo en la parte posterior de la cabeza y en la base de la columna. Es más frecuente en primavera y verano, cuando el tiempo cálido anima a las pulgas a abandonar su hibernación. A menos que el gato padezca una infestación severa usted no verá las pulgas, ya que saltan con gran rapidez, pero podrá detectarlas examinando el pelaje de su gato en busca de signos que delaten su presencia, a modo de pequeñas pecas negras semejantes a granos de pimienta negra. Las pulgas chupan la sangre y, aunque sus manchas parecen negras, en realidad son de sangre digerida. Ponga al gato en una superficie de color blanco limpia y humedecida y cepíllele todo el pelaje; si la suciedad que cae se vuelve roja al disolverse en la superficie húmeda, se tratará de pulgas sin duda alguna.

ACCIÓN

Es posible comprar un collar antipulgas, pero no suele ser muy eficaz y puede provocar una reacción alérgica alrededor del cuello. Los polvos y aerosoles contra las pulgas comprados en las tiendas tampoco son demasiado eficientes; acuda al veterinario y adquiera un producto de buena calidad que librará al gato de esta plaga. También es probable que tenga que comprar un producto para aplicarlo a los muebles y otras partes de la casa. Lea y siga siempre las instrucciones como se indica.

Si rocía periódicamente al gato y su cama con productos adecuados, sobre todo en verano, logrará que las pulgas no se conviertan en un problema endémico en su casa. Por cada pulga que encuentre en un gato habrá 200 en la casa, esperando su turno para saltarle encima, ingerir su alimento, escapar de él, criar y multiplicarse. Recuerde que las pulgas son también bastante aficionadas a la sangre humana, pero únicamente para dar un mordisquito rápido; nosotros no tenemos el cuerpo peludo que las invita a instalarse de forma permanente.

GARRAPATAS

DESCRIPCIÓN/SÍNTOMAS

Las garrapatas suelen aparecer en gatos que viven en el campo, donde se infestan de los animales de granja o de las hierbas altas.

Al igual que las pulgas, las garrapatas chupan la sangre; sin embargo, en vez de ir saltando de un gato a otro hunden la cabeza a través de la piel de un animal y se quedan en esta posición hasta que se llenan o son extraídas físicamente. Una garrapata bien alimentada y llena de sangre puede llegar a tener el tamaño de un guisante.

ACCIÓN

Quitar una garrapata es bastante fácil; lo importante es asegurarse de que se saca todo el animal, incluida la cabeza. Si se deja la cabeza dentro de la piel, se infectará y se desarrollará un absceso. La garrapata tiene ganchos en la cabeza que utiliza para adherirse a su anfitrión; para relajar estos ganchos es necesario anestesiarla con alcohol. Si no tiene a mano alcohol quirúrgico, utilice vodka, whisky o ginebra, un remedio más caro pero igualmente eficaz. Frote la garrapata con alcohol y luego tire de ella con unas pinzas. Esta operación es bastante desagradable por lo que, si es usted aprensivo, lo mejor será que la deje en manos del veterinario.

ÁCAROS

DESCRIPCIÓN/SÍNTOMAS

Existen básicamente dos clases de ácaros: los que atacan el pelo y los que viven en los oídos. De tamaño tan pequeño que son invisibles al ojo humano, los ácaros se reconocen principalmente por los daños que provocan.

Los ácaros del pelo suelen provocar pérdida del mismo, produce un estado caracterizado por una piel escamosa y llena de costras que suele llamarse «roña». La emisión de un desagradable depósito espeso, oscuro, céreo y pungente en el canal auditivo es el signo típico de la infestación por ácaros en el oído.

ACCIÓN

La roña puede tener un aspecto bastante parecido a la sarna, por lo que ha de llevarse el gato al veterinario para que establezca el diagnóstico y el tratamiento correctos. En caso de ácaros en el oído, puede limpiar con suavidad la zona exterior de la oreja con un bastoncillo o un algodoncito, con mucho cuidado, porque es fácil dañar esta delicada estructura. El veterinario determinará la prescripción correcta de gotas para el oído, por lo que lo mejor es que sea también este profesional el que proceda a la limpieza.

✦ ABAJO

Si sospecha que existe infestación por ácaros en el oído, el veterinario realizará una inspección minuciosa del canal auditivo.

En algún momento de la vida de su gato nadie le librará de tener que darle una pastilla. Los gatos suelen resistirse, pero con algo de práctica se superará con éxito esta fácil tarea. Lo más importante, sobre todo si la píldora forma parte de un ciclo de antibióticos, es asegurarse de que el gato se la ha tomado toda.

ESCONDA LA PASTILLA

Puede intentar ocultar la pastilla en la comida, de forma que el gato se tome la medicación sin enterarse. No se limite a machacarla y mezclarla con la comida del animal, ya que tal vez se quede sin comer. Utilice un poco de su alimento favorito, como pollo o pescado troceados, triture la pastilla y mézclelo todo hasta que tenga el tamaño aproximado de una nuez. Cerciórese de que el gato se lo come, y sabrá así que ha tomado la medicación. A muchos gatos les gusta la mantequilla: en tal caso también puede machacar la pastilla y mezclarla con un poco de mantequilla; póngasela al animal en una zarpa y verá cómo rápidamente la lame hasta no dejar absolutamente nada.

DAR UNA PASTILLA CON LA MANO

La forma más directa consiste en abrirle la boca al gato y meterle dentro la pastilla, aunque no siempre resulta tan fácil como parece. Algunos gatos son muy listos y esconden la píldora en la boca y luego la escupen cuando no los estamos mirando. Con un poco de práctica, lo más sencillo es seguir el método que aquí se indica:

❶ Para abrirle la boca al gato, ponga una mano en la mandíbula, sujétele la parte posterior de la cabeza con el pulgar y el índice por ambos lados y tire de las mejillas hacia atrás para abrirle la boca.

❷ Con la otra mano, introduzca rápidamente la pastilla lo más adentro que pueda.

❸ Ciérrele la boca y manténgala así con una mano, mientras obtura al mismo tiempo la nariz con la otra mano, con lo que lo forzará a tragar. Una vez que el gato se haya tragado la pastilla, suelte las manos. Así le habrá administrado la medicación.

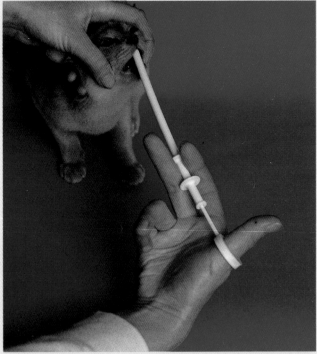

PASTILLAS CON JERINGUILLA

También es posible comprar un artilugio, a modo de jeringuilla (véase ilustración arriba), como un largo tubo de plástico con un émbolo. Cargue la pastilla en el aparato, ábrale la boca al gato, introduzca el extremo de la jeringuilla y empuje el pistón. La pastilla penetrará así hasta el fondo de la boca del gato. Ciérrele la boca y la nariz, según el procedimiento descrito a la derecha.

DOLENCIAS Y ENFERMEDADES

En general, los gatos tienen buena salud. Un felino vacunado periódicamente, bien alimentado y atendido debe disfrutar de una vida confortable. Sin embargo, está expuesto a diversas infecciones a las que podría sucumbir. En su mayoría, estas infecciones se resuelven con eficacia y rapidez con un diagnóstico correcto y la administración de antibióticos por parte de un veterinario cualificado; algunas se tratan bien en casa. Lo mejor será siempre buscar el consejo del veterinario, aunque sea por teléfono. La regla básica es no iniciar nunca un tratamiento hasta que se esté totalmente seguro de que el procedimiento es correcto y se está aplicando bien.

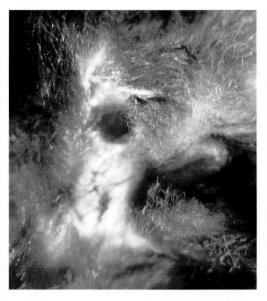

ABSCESOS

DESCRIPCIÓN

Los abscesos suelen formarse como consecuencia de la mordedura de otro gato, aunque no siempre es este su origen. Cualquier herida en la piel que quede sin tratar puede infectarse y provocar un absceso. El diagnóstico no es difícil; los abscesos tienen el aspecto de un grano de gran tamaño, en realidad lo es: una hinchazón llena de pus situada en el punto de la herida.

ACCIÓN

Es importante limpiar la infección lo antes posible para evitar una septicemia; de inmediato, debería suministrarse al gato un ciclo de antibióticos. Si se aplica una compresa caliente se logrará reventar y extraer el pus. Después, se limpiará bien la herida para impedir que se vuelva a formar el absceso; un remedio eficaz consiste en aplicar una bolita de algodón impregnada en solución salina diluida y tibia.

ACNÉ

DESCRIPCIÓN

El acné felino aparece principalmente en la barbilla de gatos que viven en casas sin otros congéneres. Al gato le resulta difícil alcanzar esa parte de la cara, por lo que sin la ayuda de la lengua rasposa de un amigo que le limpie los restos grasientos de comida es más probable que se le obturen los poros y se formen granos. Los granos pueden infectarse y convertirse en acné que, en casos graves, degenera en absceso (*véase a la izquierda*).

ACCIÓN

La aplicación de una bolita de algodón impregnada en solución salina tibia ayudará a que el acné brote totalmente y se reviente; aplique después un antiséptico adecuado para gatos. Si no se resuelve el problema, acuda al veterinario; el acné responde bien a los antibióticos.

GLÁNDULAS ANALES

DESCRIPCIÓN	ACCIÓN

A ambos lados del ano hay dos pequeñas aberturas que llevan directamente a las glándulas anales. Por su situación, es posible que estas aberturas se ocluyan, provocando una infección en dichas glándulas. Normalmente, tales aberturas son casi imperceptibles; cuando se bloquean se hacen más visibles y se asemejan a dos granos negros de arroz a ambos lados del esfínter anal. El gato puede arrastrar la zona por el suelo o lamérsela con frecuencia, obviamente para intentar aliviar la irritación.

Es posible eliminar los tapones, con cuidado y en un gato dócil, quitándolos rápidamente con los dedos o con un par de pinzas. Esta operación no debe intentarse nunca en gatos rebeldes, o si no se sabe bien lo que se está haciendo. Es mejor dejar el tratamiento de glándulas anales infectadas en manos del veterinario, aunque es posible resolverlo uno mismo. Aplique una compresa de algodón caliente y apriétela ligeramente por los lados. El exudado desprenderá un olor acre y, si no tiene un estómago fuerte, tal vez sea preferible que sea el veterinario quien lo haga. Si no se trata, la infección puede degenerar en absceso que, en esta zona sensible, es enormemente incómodo para el animal.

PROLAPSO ANAL

DESCRIPCIÓN	ACCIÓN

No es demasiado frecuente, pero una vez visto no se olvida jamás; tiene un aspecto tan espectacular que muchos dueños de gatos se sienten invadidos por el pánico. Se produce prolapso anal cuando una pequeña sección del intestino se invagina, de modo que parece que el gato tuviera una frambuesa saliendo de su conducto fecal.

Es importante llevar al gato al veterinario lo antes posible para aliviar las grandes molestias que siente, y tal vez se necesite atención quirúrgica. La causa principal del prolapso anal es una dieta no equilibrada sin ingesta adecuada de forraje, aunque las razones pueden ser otras. El veterinario le aconsejará sobre el tratamiento. No intente nunca volver a poner el intestino en posición normal desde el recto.

ARTRITIS

DESCRIPCIÓN	ACCIÓN

Es más común en gatos viejos pero, como sucede con la artritis humana, puede aparecer a cualquier edad. En animales jóvenes puede estar relacionada con calicivirus, una de las formas de gripe de los gatos, y en general es transitoria. La artritis afecta a las articulaciones del esqueleto, produce tumefacción, inflamación, dolor y (cuando aparece en las articulaciones de las extremidades) cojera.

Acuda al veterinario para confirmar el diagnóstico y hable con él sobre los tratamientos disponibles más adecuados para su gato. El calor sirve de gran ayuda, y una bolsa de agua caliente o una manta eléctrica aliviarán esta dolorosa enfermedad. A menudo son útiles también los masajes, aunque deben hacerse con cuidado; en el mercado existen muchos aparatos eléctricos de masaje. Utilizados correctamente, estos aparatos pueden aliviar provisionalmente el dolor y fomentar la movilidad de la extremidad afectada. En ocasiones se recurre a manipulación osteopática. La artritis puede agravarse por la obesidad, por lo que será conveniente lograr que el gato tenga un peso adecuado a su tamaño y constitución.

◆ IZQUIERDA
Los gatos que padezcan artritis agradecerán que se les dé calor, y una cama calentada eléctricamente les será de extraordinaria ayuda.

ASMA

DESCRIPCIÓN	ACCIÓN

Los gatos pueden tener reacciones alérgicas a numerosos agentes ambientales, que provocan el trastorno respiratorio llamado comúnmente asma. Los síntomas son moqueo, estornudos, lagrimeo y dificultad para respirar, si bien todos ellos son indicativos también de gripe felina.

Es importante que el veterinario examine al gato para establecer el diagnóstico correcto. Si piensa que tiene asma, puede aconsejar que no se le deje salir de casa y que se cierren las ventanas cuando la cantidad de polen sean elevadas.

◆ ARRIBA
Al igual que las personas, los gatos padecen alergias como el asma y la fiebre del heno. Si su gato es propenso a estas dolencias, será aconsejable que permanezca dentro de casa cuando la cantidad de polen sea elevada.

◆ ABAJO
Si una reacción alérgica provoca irritación en los ojos del gato, el veterinario puede recetar la aplicación de una pomada analgésica; no le administre nunca un preparado que no haya sido recomendado por el veterinario.

ESTREÑIMIENTO

DESCRIPCIÓN

El estreñimiento suele deberse a una dieta no equilibrada, por lo que a menudo se resuelve añadiendo forraje a las comidas, por ejemplo salvado. Un gato estreñido tendrá normalmente un pelaje «abierto» (en mal estado), parecerá aletargado y se esforzará en la bandeja sanitaria sin lograr defecar. Las heces duras ocasionales pueden tener restos de sangre, provocada por rotura de capilares.

ACCIÓN

Para tratar a un gato estreñido puede dársele un poco de parafina líquida. Si los síntomas persisten, consulte con el veterinario por si hubiera una causa subyacente más importante, como un bloqueo intestinal provocado por haber tragado pelo.

CASPA

DESCRIPCIÓN

No es un problema grave, pero afea bastante al gato. Las escamas de piel muerta se depositarán sobre el pelaje y se acumularán si no se cepilla periódicamente al animal. Una piel seca puede agravar la situación, que pudiera deberse a una dieta inadecuada; por ello, el cambio a una comida más grasa, como sardinas, puede servir de ayuda para resolver el problema.

ACCIÓN

La aplicación de loción acondicionadora en el pelaje ofrecerá una mejora rápida, pero temporal. Si el problema persiste, podría tener un origen dermatológico para el que el veterinario prescribirá un tratamiento adecuado. Consulte también con el veterinario si se observa usted mismo una erupción en la piel o en los brazos, pues sería indicio de una infección por ácaros transmitida por el gato.

DIABETES

DESCRIPCIÓN

Aparece en gatos de cualquier edad, aunque es más común en los animales viejos o con sobrepeso. Los síntomas son aumento de la sed y del apetito, pero con acusada pérdida de peso. El veterinario puede establecer un diagnóstico seguro de este problema después de realizar un análisis de sangre y orina.

ACCIÓN

El tratamiento de la diabetes, como en los humanos, se basa en inyecciones diarias de insulina; el veterinario le enseñará cómo hacerlo y, una vez que usted domine la técnica, verá que no es nada difícil. Es importante que un gato diabético coma a intervalos regulares, y que la dieta no contenga carbohidratos ni azúcar. Una vez iniciado el tratamiento y estabilizada la dolencia, no hay motivo por el que el gato no pueda vivir muchos años si se le administra la medicación correcta y se le modifica la dieta adecuadamente.

DIARREA

DESCRIPCIÓN

A veces los gatos hacen deposiciones sueltas. En la mayoría de los casos, la causa es haber comido algo demasiado fuerte, o no tan fresco como debería.

ACCIÓN

Mantenga al gato en ayunas durante veinticuatro horas, ofrézcale solo agua mineral para beber (no del grifo) y una cucharadita de yogur tres veces al día. Así ayudará a reajustar el equilibrio bacteriano natural de su intestino. Si la diarrea persiste durante más de cuarenta y ocho horas, o empeora, pida consejo al veterinario.

PROBLEMAS AUDITIVOS

DESCRIPCIÓN

Si el gato empieza a rascarse la oreja o mantiene la cabeza inclinada hacia un lado, probablemente tendrá un problema auditivo. La causa más común es la presencia de ácaros (véase «Parásitos»), pero también podría habérsele introducido un objeto extraño en el canal auditivo, como una semilla que, si germinara, le provocaría una gran irritación y enorme malestar.

ACCIÓN

Busque consejo del veterinario sobre el diagnóstico correcto y el tratamiento.

ECCEMA

DESCRIPCIÓN

El problema del eccema es que, al tener muchas posibles causas diferentes con idénticas manifestaciones de la enfermedad, el diagnóstico y el tratamiento son difíciles.

ACCIÓN

La causa más frecuente de un eccema es la alergia a las pulgas, y el tratamiento, en este caso obvio, se basaría en una buena dosis de aerosol antipulgas para asegurarse de que esta plaga no sigue anidando en el gato. El eccema miliar puede deberse a un desequilibrio hormonal, a menudo causado por haber esterilizado demasiado pronto a una gata en una edad en la que su sistema endocrino no estaba todavía totalmente desarrollado. En tal caso habrá que tratar al animal con un sustitutivo hormonal. Algunos comestibles, como sucede en los humanos, pueden desencadenar un eccema alérgico, que se trataría con un cambio en la dieta. La pérdida de pelo con calvicie en zonas determinadas debería ser investigada por el veterinario por si fuera tiña (véase «Parásitos»), un trastorno altamente contagioso.

✦ IZQUIERDA
Ejemplo de alergia a las pulgas (dermatitis). Se ha afeitado la zona afectada, que normalmente estaría cubierta de pelos partidos y ralos.

DISAUTONOMÍA FELINA

DESCRIPCIÓN

Es una enfermedad descubierta recientemente, conocida en su origen como síndrome de Key-Gaskell. Uno de sus principales síntomas es la dilatación de las pupilas de uno o ambos ojos, por lo que se denomina también síndrome de las pupilas dilatadas. Otros síntomas son vómitos, estreñimiento y sequedad de la nariz y la boca que provocan náuseas y dificultad para comer.

ACCIÓN

Existen investigaciones en curso sobre esta enfermedad. Actualmente no se conoce su virulencia de contagio, cómo se transmite ni cuál es su causa. El tratamiento, por tanto, solo puede ser sintomático. Por lo general, afecta a gatos jóvenes, aunque, en algunos casos, se ha observado en animales mayores; tiene una tasa de mortalidad elevada.

✦ ARRIBA
Si sospecha que el gato tiene disautonomía felina, el veterinario le examinará los ojos para observar las respuestas reflejas de las pupilas.

ANEMIA INFECCIOSA FELINA

DESCRIPCIÓN

Por una razón desconocida, la anemia infecciosa felina (AIF) parece afectar sobre todo a machos jóvenes. Se trata de una infección bacteriana, transmitida presuntamente por moscas y mosquitos. Los síntomas son letargo y pérdida de apetito, y las zonas de color sonrosado, como los labios, las encías y la boca, suelen volverse casi blancas.

ACCIÓN

La enfermedad puede confirmarse con un análisis de sangre y, en tal caso, deben realizarse pruebas de VLFe. Si se detecta únicamente AIF y se diagnostica precozmente, se puede tratar; cuando esta infección está combinada con VLFe, el pronóstico no es tan favorable.

CONVULSIONES

DESCRIPCIÓN

Tendrá pocas dudas cuando su gato sufra convulsiones; se desmayará, salivará y, probablemente, sufrirá sacudidas espasmódicas.

ACCIÓN

Este problema exige asistencia veterinaria inmediata, ya que las convulsiones pueden tener muchas causas, todas ellas de atención urgente. Si sospecha que el gato ha ingerido algún tipo de sustancia tóxica, actúe con rapidez. Prepare una solución concentrada de sal y agua. Introdúzcala a la fuerza en la garganta del animal para hacerlo vomitar; así, expulsará la mayor cantidad posible de veneno del estómago antes de haberlo asimilado. No provoque *nunca* el vómito si el veneno es una sustancia cáustica. Si tiene que manipular a un gato con convulsiones, póngase unos guantes gruesos y envuélvalo en una toalla o una sábana.

✦ ABAJO
Si el gato sufre una convulsión, protéjase colocándose unos guantes gruesos y envuelva fuertemente al animal en una sábana.

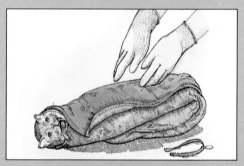

BOLAS DE PELO

DESCRIPCIÓN

Los gatos son criaturas muy limpias y pasan gran parte del tiempo en labores de higiene personal y social. Por ello, tragan cierta cantidad de pelo, un material no digerible que, cuando se acumula en el intestino, puede dar lugar a un bloqueo por una «bola de pelo». Las bolas de pelo harán probablemente toser al gato, y pueden provocarle malestar y estreñimiento.

ACCIÓN

En estado salvaje, los gatos resuelven sus problemas de bolas de pelo comiendo hierba, y actúa como emético natural. Las actuales costumbres domésticas de la especie, permiten que estas bolas puedan expulsarse más fácilmente con la ayuda de dosis de parafina líquida (en un animal adulto, dos cucharadas soperas diarias durante tres días; en un cachorro, una dosis menor). Cepille y peine periódicamente al gato.

HEMATOMA

DESCRIPCIÓN

Los hematomas se parecen a los abscesos (tumefacciones grandes llenas de líquido), pero en este caso el líquido es sangre, y no pus. Normalmente aparecen en las orejas, a menudo como consecuencia de peleas entre gatos.

ACCIÓN

La oreja es una estructura delicada y, si no se trata a tiempo, este problema puede degenerar en una «oreja caída». El veterinario debería visitar al gato lo antes posible para prevenirlo; tal vez necesite antibióticos para detener la infección.

✦ ARRIBA
Es frecuente que se observen hematomas (zonas inflamadas y llenas de sangre) en la oreja, a menudo causados por peleas con otros gatos.

✦ ARRIBA
Si no se trata el hematoma, se producirá una deformidad conocida como oreja caída. Este problema se evitará con un tratamiento veterinario inmediato.

PROBLEMAS BUCALES

DESCRIPCIÓN

Normalmente, el primer síntoma de que un gato tiene un problema en la boca es que empieza a arañarse la cara y parece interesado en la comida pero no puede ingerirla.

En un cachorro de unas dieciséis semanas es probable que el trastorno esté relacionado con el proceso de dentición. Cuando se desarrollan los dientes adultos, empujan a la primera dentición e inflaman las encías. A veces, estos dientes adultos no salen rectos, y crecen al lado de los antiguos.

También hay otras razones posibles de dolor en la boca. Tal vez el gato tenga algún cuerpo extraño atravesado en la garganta, como un trozo de hueso, una aguja o cualquier otro objeto afilado. Los trastornos de las encías, como la gingivitis (inflamación de las encías), provocan un serio malestar, así como la pérdida de algún diente. Más frecuentes en gatos viejos, estos problemas pueden aparecer a cualquier edad, sobre todo si la dieta no incluye algo que masticar para ejercitar adecuadamente los dientes y las encías.

ACCIÓN

Si un cachorro tiene fuertes dolores en los dientes, consulte con el veterinario; las pomadas para bebés no deben usarse nunca con los gatos.

Si sospecha que el gato tiene un cuerpo extraño alojado en la garganta, avise enseguida al veterinario. Deberá retirarse el objeto lo antes posible para evitar que el animal se asfixie.

Si hay trastornos de las encías y dientes sueltos será necesario el examen del veterinario y, en algunos casos, hará que extraer.

✦ ARRIBA
Existen varios trastornos menores de las encías y los dientes que pueden tratarse con facilidad. Sin embargo, tras una inspección de la boca pueden detectarse enfermedades más serias. Por ejemplo, la palidez de las encías es signo de posible anemia, tal vez anemia infecciosa felina (AIF).

TIÑA

DESCRIPCIÓN

✦ ARRIBA
La tiña afecta al gato principalmente en la cabeza, las orejas y las patas, aunque en casos graves aparece en cualquier parte del cuerpo.

Esta enfermedad fúngica es enormemente contagiosa, por lo que exige un diagnóstico muy rápido para evitar que se extienda y un tratamiento veterinario inmediato y, a menudo, prolongado.

Los síntomas son variables y no siempre aparecen en su totalidad; el más común es la pérdida de pelo (que tiende más a quebrarse que a caerse) asociada a la aparición de calvas y, a veces, manchas escamosas en la piel. Los puntos más afectados son la cabeza, las orejas y los dedos. Sin embargo, cualquier pérdida de pelo es sospechosa, y merece una visita al veterinario para su examen. El diagnóstico de la tiña puede ser muy difícil; en la mayoría de los casos, emite luz fluorescente bajo la lámpara de Wood, pero no siempre; algunas formas de tiña solo pueden detectarse por análisis de cultivos de raspados de piel.

ACCIÓN

Una vez diagnosticada, la tiña suele tratarse con griseofulvina; también puede necesitarse un champú fungicida. La griseofulvina estimula el flujo sanguíneo y hace que la sangre llegue a todos y cada uno de los pelos, matando al hongo. Para acelerar el tratamiento, algunos veterinarios les cortan el pelo a los gatos de pelo largo, ya que cuanto antes pueda la griseofulvina llegar a la punta de cada pelo menos llevará eliminar el hongo del organismo. Otros optan asimismo por cortarles los bigotes a los gatos de pelo corto, pues son bastante más largos que el pelaje y, mientras el gato procede a limpiarse la cara, podría muy bien volver a infectarse.

Un gato infectado debe mantenerse aislado dentro de la casa para no contagiar a los demás felinos del vecindario. Deberían seguirse unas estrictas normas de higiene: quemar la cama del gato, cambiarla por otra y seguir las instrucciones del veterinario sobre cómo limpiar la nueva. Como la tiña es una de las escasas dolencias que se transmiten del gato al hombre, sométase a una revisión, junto con el resto de su familia, para ver si tiene manchas escamosas y picores en alguna parte del cuerpo; aplique el mismo tratamiento, aunque bajo la supervisión de su médico. No permita que el médico le convenza de que tiene que sacrificar al gato por la tiña; no se sabe de nadie que haya muerto por este problema.

Pasadas de cuatro a seis semanas, el veterinario volverá a examinar al gato con la lámpara de Wood para asegurarse de que ha desaparecido todo rastro de tiña; si no es así, se administrará un nuevo ciclo de griseofulvina. Hasta que haya limpiado bien su casa no es aconsejable que visite a amigos que tengan animales, ni que ellos le visiten a usted, ya que la tiña puede extenderse a través de los zapatos y la ropa.

ACCIDENTES Y EMERGENCIAS

Los accidentes suceden hasta en los hogares más precavidos; es importante saber cómo actuar en caso de emergencia. En tal caso, la diferencia entre la vida y la muerte puede estar en conocer los primeros auxilios para gatos. Sin embargo, quien aplica estos procedimientos sin estar seguro de actuar correctamente puede hacer más mal que bien. El apartado titulado «Vigilancia de los gatos» reúne una lista con las posibles situaciones peligrosas que afronta uno de estos felinos; en estas páginas se ofrecen consejos básicos sobre las acciones inmediatas que pueden emprenderse para ayudar a un gato que ha sufrido un accidente.

IR AL VETERINARIO

Para todas las lesiones menores que pueden tratarse en casa, aplique de inmediato técnicas de primeros auxilios, si considera que las domina, y después acuda al veterinario de inmediato. Llamarle para que le visite a domicilio solo sirve para perder tiempo, y hay posibilidades de que se necesite un tratamiento de urgencia, como una operación, que únicamente se aplica en la clínica.

Cuando tenga que llevar al gato al veterinario en coche, no viaje solo. Si le es posible, pida a un amigo o a un vecino que lo acompañe. Un gato herido o enfermo metido en la caja para transportarlo puede sentir pánico y hacerse aún más daño. Es mejor envolverlo en una sábana y que alguien lo trate con cariño, lo tranquilice y evite que entre en estado de shock. También será más seguro desde el punto de vista de la conducción, ya que el dueño se sentirá más tranquilo al saber que su gato está cómodo.

Después de un accidente es importante atender un posible *shock* del gato: manténgalo tranquilo y caliente, envuélvalo en una toalla o una sábana, hasta que llegue a la clínica del veterinario.

MORDEDURAS DE ANIMALES
(Véase también **MORDEDURAS DE SERPIENTES**)

INDICACIONES

Todo gato que se mueva en libertad terminará antes o después por tener una riña con otro gato. Las bocas de todos los animales, incluida la del hombre, contienen gran número de bacterias que, una vez transmitidas al torrente sanguíneo, son posible fuente de infecciones.

ACCIÓN

• Lave bien la herida de inmediato con un antiséptico diluido adecuado para gatos, con el fin de reducir la infección local; incluso el más pequeño rasguño podría derivar en un absceso.
• Después, póngase en contacto con el veterinario, que le administrará un antibiótico inyectado y prescribirá el curso conveniente de antibióticos en pastillas.

QUEMADURAS

INDICACIONES

Existen tres formas principales de quemaduras, todas derivarán en la formación de ampollas:
• Quemaduras de contacto, por tocar directamente una superficie caliente.
• Escaldaduras, por contacto con líquidos hirviendo.
• Quemaduras por cáusticos, por el contacto con sustancias químicas peligrosas.
   Las dos primeras se producen casi siempre en la cocina. En cambio, las quemaduras por cáusticos afectan a gatos que merodean por lugares donde se guardan productos químicos peligrosos.

ACCIÓN

• Ponga inmediatamente la zona quemada bajo agua fría.
• No administre *nunca* pomadas, lociones o mantequilla sobre la quemadura.
• No punce las ampollas.
• Lleve al gato al veterinario lo antes posible.

REANIMACIÓN

La reanimación inmediata es vital cuando el gato sufre una parada respiratoria, que puede deberse a muchas causas, sobre todo ahogamiento (incluidos cachorros que, al nacer, tragan abundante líquido amniótico) y electrocución accidental (véase página siguiente).

❶ Incline hacia atrás la cabeza del gato, manténgale la boca cerrada e insúflele aire por la nariz.

❷ Espere hasta que expulse el aire y repita el procedimiento hasta que el gato empiece a respirar solo. Si no lo hace, puede necesitarse un masaje cardíaco.

❸ Para un masaje cardíaco, tienda al gato sobre un costado, presione rápidamente y relaje la zona del tórax a la altura del codo, donde está situado el corazón. No se preocupe por la fuerza con la que aplique al tratamiento; si no respira, el gato ya está muerto. Si lograra revivirlo, una costilla rota no es tan grave.

AHOGAMIENTO

INDICACIONES

No hace falta que un gato se caiga a un lago profundo para que se ahogue; el ahogamiento se produce cuando los pulmones se llenan de agua, en vez de aire, y puede producirse de muchas formas. Lo más urgente es expulsar el agua de los pulmones, para que el animal pueda de nuevo respirar.

ACCIÓN

• Sujete al gato cabeza abajo y golpéele con fuerza el lomo. Si no se expulsa el agua y parece que no respira, se requiere una acción drástica.
• Agarre firmemente al gato por el pescuezo y por las patas posteriores, y hágalo oscilar con fuerza hacia abajo.
• Una vez expulsada el agua, el proceso de reanimación es similar al que recomienda la Cruz Roja para seres humanos, un boca a boca, si bien en este caso sería más adecuado decir un «boca a nariz» (véase «Reanimación»).

✦ IZQUIERDA
Para expulsar el agua de los pulmones, agarre al gato con firmeza por el pescuezo y las patas traseras y balancéelo hacia abajo.

ELECTROCUCIÓN

INDICACIONES

A los gatos les encanta morder cosas, y no entienden lo peligroso que puede ser un cable eléctrico. Si su gato se electrocuta, no lo toque hasta haber cortado la corriente y desconectado el aparato, o también usted recibirá la descarga.

ACCIÓN

• Aplique el procedimiento de reanimación (pasos 1-3) explicado en la página anterior.
• Acuda rápidamente al veterinario.

CAÍDAS

INDICACIONES

Se suele pensar que los gatos siempre caen de pie, pero no es del todo cierto. Después de una caída, es mucho más frecuente que el gato se parta la mandíbula que las patas, y aunque no tenga huesos rotos ni fracturados podría sufrir una conmoción cerebral.

ACCIÓN

• Si sospecha que el gato se ha roto un hueso, vaya al veterinario lo antes posible, sujetando al gato para que no se mueva y empeore la situación.
• También existe la posibilidad de una lesión interna que usted no podrá detectar. Esté atento al posible *shock* del gato y póngase en contacto con el veterinario, que le aconsejará cómo moverle para llevarle rápidamente a su consulta.

✦ IZQUIERDA
Los gatos parecen sentir una fascinación natural por los aparatos eléctricos, e incluso este aparentemente inofensivo teléfono con contestador automático podría provocar al animal una descarga bastante desagradable si mordiera el cable de la conexión eléctrica.

◆ IZQUIERDA
Nunca debe dejarse a los gatitos sueltos fuera de casa sin vigilar; si no hubiera nadie cercâ, esta cría se habría dado un buen golpe al caer del árbol.

PICADURAS DE INSECTOS

INDICACIONES

Las picaduras más frecuentes son las de avispas y abejas. El aguijón de una avispa puede causar una inflamación local. A los gatos les gusta cazar los objetos que vuelan, y no es raro que capturen y se traguen avispas o abejas; de ello puede resultar un aguijonazo en la boca o la garganta.

ACCIÓN

• Si el aguijón de la avispa está clavado en la parte exterior del gato, calme la zona afectada con una compresa fría.
• Las abejas dejan el aguijón dentro de la víctima, y hay que sacarlo. Si lo logra ver, tire de él con unas pinzas finas; en caso contrario, lleve al gato al veterinario.
• Si el aguijonazo ha sido en la boca, debería llevar al gato al veterinario enseguida; podría inflamársele rápidamente la garganta y asfixiarse si no se le atiende de inmediato. Entretanto, póngale un cubito de hielo en la boca para combatir la inflamación.

ABRASIONES Y CORTES MENORES

INDICACIONES

Una herida poco extendida puede tratarse bien en casa, como se haría con la rodilla raspada de un niño.

◆ ABAJO
Aplique una compresa fría presionándola con fuerza sobre una herida sangrante. Si no se detiene la hemorragia después de unos minutos lleve al gato al veterinario: tal vez haya que ponerle puntos.

ACCIÓN

• Aplique un poco de antiséptico diluido y vigile la herida por si se infecta.
• Las heridas profundas requieren más atención, sobre todo si sangran profusamente.
• Aplique firmemente una compresa fría sobre la herida para detener la hemorragia.
• Si el sangrado no se contiene al cabo de unos minutos, lleve al gato al veterinario; tal vez necesite puntos.

VENENOS

INDICACIONES

El veneno puede entrar en el organismo de un gato por dos vías: ingestión (tragado) y absorción a través de las zarpas.

ACCIÓN

• Es necesario llevar al gato al veterinario lo antes posible.
• Si sabe de qué veneno se trata, lleve una muestra para acelerar el diagnóstico y el tratamiento.
• Si es consciente de que el gato ha ingerido un veneno, la administración de un emético formado por una solución salina concentrada provocará el vómito.
• **No haga vomitar al gato si sospecha que se ha tragado una sustancia cáustica, ya que le causaría todavía más daño.**

◆ ARRIBA
Los gatos sienten atracción por los pequeños objetos voladores, pero esta abeja representa un peligro potencial para el curioso felino.

ATROPELLOS

INDICACIONES

Cualquier gato que sufra un atropello necesitará ayuda veterinaria urgente, y debe aplicarse el procedimiento quirúrgico necesario de inmediato. Tal vez haya que tratar múltiples heridas.

ACCIÓN

• Mueva lo menos posible al gato accidentado.
• Extienda junto al gato un abrigo, una sábana o lo que tenga a mano para que pueda servirle de camilla; luego, coloque al animal encima, moviéndole las extremidades lo menos posible.
• Evite que se quede colgando, sostenga la cabeza un poco por debajo del resto del cuerpo, para que la sangre siga circulando hacia el cerebro y evitar así lesiones cerebrales.
• Mantenga al gato lo más tranquilo y caliente que le sea posible hasta que llegue a la consulta del veterinario.

✦ ARRIBA
Un gato herido por un atropello debe moverse con la máxima suavidad posible, y es vital llevarlo al veterinario lo antes posible. Un abrigo puede servir de camilla improvisada; ponga al gato encima, con cuidado, y ayudado por otra persona que lo sujete por el otro lado, levante la «camilla». Sostenga la cabeza del gato ligeramente por debajo del resto del cuerpo para facilitar el riego sanguíneo hacia el cerebro.

MORDEDURAS DE SERPIENTES

INDICACIONES

En algunas partes del mundo, las mordeduras de serpiente son algo relativamente común, sobre todo si se vive en el campo. Cuando esto suceda, han de conocerse los riesgos, y cuáles son las serpientes autóctonas. Mucha gente ha olvidado que en Europa aún vive una serpiente venenosa: la víbora.

ACCIÓN

• Si su gato ha sido mordido por una serpiente venenosa, es importante actuar rápido, porque el veneno se extenderá rápidamente por el sistema sanguíneo, lo que recomienda administrar el antídoto lo antes posible.
• Si el veterinario está a muchos kilómetros de distancia, lo mejor es aplicar un torniquete para reducir el flujo sanguíneo y, con ello, el del veneno, si bien esta es una solución de último recurso. Es facilísimo que ese torniquete interrumpa del todo el flujo de sangre, hasta el punto de que cause la muerte del tejido y haya que amputar la pata.
• Si la mordedura corresponde a una serpiente no venenosa, trátela como cualquier otra herida punzante (*véase* «Mordedura de animales»).

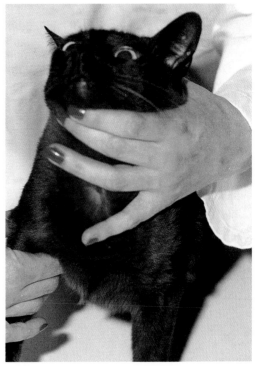

✦ DERECHA
El pulso del gato se toma en la parte interior de la pata delantera (debajo de la axila).

CLASIFICACIONES DE RAZAS DE GATOS

Aunque los gatos de raza no tienen tantas variedades de tamaño como los perros con pedigrí, el amplio abanico de selección es amplio. Las razas son distintas no solo por su forma, color y tamaño, sino también por su carácter y personalidad. Algunos gatos de raza son exigentes y los hay que no soportan estar solos, mientras que otros prefieren las casas tranquilas. No caiga en la tentación de comprar uno solo por su aspecto o porque su pelaje combina bien con el color de sus muebles. Ningún criador que se precie se lo venderá por esos motivos.

Algunas razas de gatos son antiguas, producidas por selección natural e incluso genuinas de ciertas áreas geográficas. El Manx sin cola es un buen ejemplo. Pero otras más recientes han sido diseñadas genéticamente por los criadores. Al introducir nuevos colores, dibujos y longitudes del pelaje, los criadores han hecho posible una variedad caleidoscópica de colores.

Los clubes felinos de todo el mundo agrupan las razas de formas ligeramente diferentes. Algunas de estas razas existen únicamente en ciertos países, mientras que otras se encuentran en todo el planeta. Este libro está inspirado a grandes rasgos en los criterios de la sección de pedigrís del sistema de registro del Governing Council of the Cat Fancy (GCCF, Consejo Gubernamental de la Moda del Gato) del Reino Unido, si bien se han usado también nombres alternativos de razas.

Existen siete grupos básicos de gatos, todos se analizan aquí, o incluso ocho si se incluye a la forma más conocida, el gato común o doméstico, el que no tiene pedigrí.

Tipo persa de pelo largo

Todos estos gatos se rigen por un mismo estándar de tipo, forma, tamaño y longitud del pelo. También tienen nariz corta, orejas pequeñas y pelaje abundante. Existen en una gran variedad de colores y dibujos. En general, son criaturas plácidas y tranquilas que no piden demasiada atención. Necesitan, sin embargo, bastante cepillado y limpieza. Si no tiene ese tiempo, descarte la idea de hacerse con un gato persa, por muy bonito que le parezca.

Tipo no persa de pelo largo

El único factor que tienen en común los gatos de este tipo es la longitud de su pelaje. Cada raza tiene sus características, tanto en tipo como en temperamento. En este grupo se encuadran las variedades birmana, turca, Maine Coon y del bosque noruego, entre algunas otras. No pueden hacerse generalizaciones sobre su carácter, ya que son todas diferentes.

◆ ABAJO
El gato birmano es uno de los más populares, dentro del tipo no persa de pelo largo. Esta pareja de puntas azules muestra claramente la disposición típica del pelaje y las zarpas blancas que son características de esta raza.

Británicos y americanos de pelo corto

Al igual que las razas persas, básicamente los británicos y americanos de pelo corto tienen un aspecto uniforme, aunque con algunas diferencias. Suelen ser criaturas más tranquilas que otras variedades de pelo corto, aunque necesitan bastante cepillado y limpieza por su pelaje corto y denso. Pueden llegar a ser grandes y pesados.

Otras razas de pelo corto

Esta agrupación responde a criterios de conveniencia. Algunas, como el exótico de pelo corto, se incluyen en general en el Reino Unido en los grupos de pelo largo, mientras que otras razas de pelo largo podrían entrar en la categoría de pelo corto. El grupo incluye a todos los gatos de pelo corto que no se han incluido en las categorías anteriores. Se parecen a los gatos de pelo largo de tipo no persa en que las variedades son diferentes en su aspecto y temperamento. En este grupo se incluyen los gatos abisinios, Cornish y Devon Rex, americano de pelo duro y rizado americano y distintas variedades nuevas como los gatos asiáticos: los burmillas, y los bengalíes manchados y los ocicats.

◆ DERECHA
Para quienes prefieran una raza de gato más grande, la respuesta es el británico de pelo corto. Aunque existe en muchos colores y pelajes, el azul es probablemente el más conocido.

◆ ARRIBA
Dentro de la clasificación general de «otras variedades de pelo corto» pueden distinguirse multitud de razas que no corresponden a un grupo específico. Este mau egipcio es un gato moteado, pero de tipo bastante diferente del atigrado oriental moteado, con el que guarda una estrecha relación.

✦ ABAJO
El snowshoe es una de las nuevas razas de «diseño» de gatos de pelo corto.

Orientales de pelo corto

Estos gatos tienen la forma y el tamaño de siameses, y se rigen por el estándar de los siameses. La diferencia reside en que no muestran el dibujo restringido de pelaje, denominado genéticamente factor himalayo. Existen muchísimas variedades de colores y diseños de pelaje, pero en esencia su temperamento es el siamés.

Burmeses

Los burmeses son una agrupación muy especial, todos sus ejemplares son del mismo tipo y carácter y solo se distinguen por el color. Son gatos activos que necesitan mucha atención, y no les gusta quedarse solos. En general, no son tan ruidosos como los siameses. Tienen un carácter tan particular y una actitud tan cariñosa que se han convertido en una de las razas más apreciadas de la actualidad.

Siameses

Los siameses son muy populares y relativamente fáciles de conseguir. Son animales elegantes, esbeltos, con pelajes de diseño muy distintivo. Al igual que los burmeses, no es que necesiten la atención, sino que la exigen.

En el siguiente capítulo se describen con detalle las características de todas estas razas, su carácter y las normas que hacen que merezca la pena presentar a un gato para que obtenga certificados de excelencia en los distintos países (*véase* «Exposiciones de gatos»).

Antes de elegir su gato: recuerde que todos los gatos son antes que nada animales de compañía, por lo que debe considerar el tiempo que necesita cada una de las razas, tanto para la limpieza como para los cuidados. No olvide que su gato vivirá con usted durante muchos años.

✦ IZQUIERDA
Los siameses conforman una variedad reconocible al instante de gatos de raza, una de las más populares. Existente en múltiples colores y dibujos, la variedad de puntas azules personifica la elegancia de esta raza hechizadora.

✦ ARRIBA A LA IZQUIERDA
El korat es una de las razas naturales más antiguas que se conocen de gato azul, y procede de Tailandia, donde se considera «Si Sawat», un símbolo de buena suerte. Solo se conoce en su color azul original.

✦ DERECHA
El primer burmés, una gata marrón llamada Wong Mau, *fue importado por Estados Unidos en 1930. Hoy existen burmeses de diez colores distintos, todos ellos conformes con el estándar de la raza, como este joven cachorro de color crema.*

GENÉTICA

La genética debe considerarse una ciencia de probabilidades, si puede pensarse en la ciencia como una disciplina que se basa en la *posibilidad* de que algo ocurra, y no en la certeza de resultados precisos y demostrables. A mediados de 1880, Gregor Mendel, un monje austríaco, se sintió cada vez más fascinado por los diferentes colores que encontraba entre los guisantes que crecían en el jardín de su monasterio. Pensó que debía existir una especie de designio divino que decidía que las plantas tuvieran un determinado color y forma de los pétalos, que los guisantes fueran lisos o arrugados e incluso que algunos crecieran más que otros. En realidad, lo que estaba observando es la manifestación exterior (el *fenotipo*) de la configuración genética (o *genotipo*) de la planta; aquello fue el principio de lo que hoy conocemos por genética, que rige tanto el aspecto exterior como el interior de todos los seres vivos... incluidos los gatos.

Mendel descubrió que, al polinizar selectivamente plantas con flores del mismo color, las nuevas flores tenían más o menos el mismo color que sus padres. Prosiguió con su investigación para ver si también esto ocurría entre los animales. Para ello eligió ratones domésticos por ser una raza que crecía a gran velocidad, y encontró de nuevo que si se apareaban dos animales semejantes su progenie solía tener el mismo color.

Sin embargo, cuando dos plantas del guisante de colores distintos, o dos ratones de diferente pelaje, tenían descendencia, el color aparecía dominado por uno u otro progenitor. Las cosas empezaban a ponerse interesantes: al mezclar dos seres de la misma primera generación, algunas de las plantas, o de los ratones, se parecían a uno de los padres, y otras al otro. Mendel había descubierto que existían dos tipos de genes, uno dominante y otro recesivo. También había encontrado que todos los seres vivos heredan un conjunto de genes de cada progenitor. Ahora, ¿cómo se expresa esta información entre los gatos?

PATRONES DE HERENCIA DEL PELAJE EN LOS GATOS

Existen muchos genes diferentes en un gato: los del cuerpo, los ojos y la forma de la cabeza; los del color, la longitud y el dibujo del pelaje; e incluso los que producen una debilidad que los hace más propensos a tener ciertos defectos. Las combinaciones son ilimitadas, por lo que en estas páginas describiré solo el modelo de herencia del pelaje.

El fenotipo (aspecto exterior) viene dictado por el genotipo (dotación genética), y en lo que respecta al pelaje de los gatos existen tres grupos principales de posibilidades: pelo largo o pelo corto; diferencias de color, y diferencias de dibujo.

Color del pelaje

Para empezar por lo fácil, consideremos dos burmeses marrones que porten ambos el gen azul recesivo. Al aparearlos, los cachorros recibirán estos genes del padre y de la madre. El resultado se estudiaría según lo que se conoce como razón mendeliana de 1:2:1, es decir, se obtendría un cachorro marrón, dos marrones con el gen recesivo (azul) y uno azul. El proceso se muestra de forma simplificada en el diagrama (*debajo*), donde **D** representa el gen marrón dominante y **d** es el gen azul recesivo.

Este ejemplo considera un único conjunto de «caracteres», el del color del pelaje, por lo que está bastante simplificado.

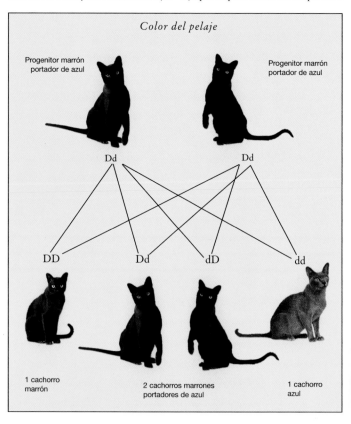

Color del pelaje

Progenitor marrón portador de azul

Progenitor marrón portador de azul

Dd   Dd

DD   Dd   dD   dd

1 cachorro marrón

2 cachorros marrones portadores de azul

1 cachorro azul

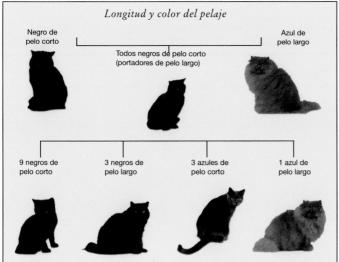

Longitud y color del pelaje

Negro de pelo corto

Azul de pelo largo

Todos negros de pelo corto (portadores de pelo largo)

9 negros de pelo corto

3 negros de pelo largo

3 azules de pelo corto

1 azul de pelo largo

Longitud y color del pelaje

Si consideramos ahora dos caracteres, los del color y la longitud del pelaje, las posibilidades aumentan. Si se aparea un gato negro de pelo corto con uno azul de pelo largo, el color negro domina sobre el azul, y el pelo corto sobre el largo. La progenie del primer cruce será toda igual. Si dos de estos cachorros se vuelven a cruzar, existe la posibilidad de obtener cuatro fenotipos bastante diferentes, tanto en el color como en la longitud del pelo.

El diagrama *(arriba)* muestra una proporción de tres negros (dominante) sobre uno azul (recesivo) y tres de pelo corto (dominante) por uno de pelo largo (recesivo).

Dibujo, longitud y color del pelaje

Si se introduce un tercer carácter, el dibujo del pelaje, las posibilidades se amplían.

Un programa para desarrollar una nueva raza, llamada burmilla (uno de los grupos de gatos asiáticos), muestra estos tres genes y enseña cómo se transmiten. El apareamiento original se produjo entre un macho chinchilla (una variedad de pelo largo con pelaje de puntas negras) y una hembra de burmés lila (de pelo corto, con gen recesivo diluido de pelaje sin dibujo). Como el gen con dibujo (chinchilla) es dominan-

te con respecto al pelo liso (burmés), y el gen del pelo corto (burmés) domina sobre el pelo largo (chinchilla), todos los cachorros resultantes del primer cruce fueron de puntas de pelo corto de tipo burmés, que llevaban el gen recesivo del pelo largo.

En teoría, si se apareaban dos de estos burmillas podrían obtenerse dieciséis combinaciones de colores diferentes de longitud y diseño de pelaje: ocho colores de pelo corto y los ocho correspondientes de pelo largo. De aquí se llega a la idea de Mendel de las proporciones entre dominantes y recesivos, y demuestra que dos gatos con los mismos patrones de color, longitud y dibujo de pelaje pueden producir cachorros totalmente distintos. También muestra lo complicada que puede ser la genética de los gatos cuando se considera más de un carácter.

En la práctica, como los criadores querían conservar el tipo burmés, los burmillas de primera generación se aparearon con burmeses, y no con otros burmillas, lo que explica lo raro que es encontrar la variedad de pelo largo, el Tiffanie, en las primeras fases del programa de cría.

Hemos mostrado aquí solo un bosquejo de los principios de «funcionamiento» de la genética de los gatos, y de cómo pueden crearse nuevas razas. En la práctica se necesita una buena dosis de investigación y de cálculos.

Programa Burmilla

Chinchilla

Burmés lila

Las dos razas elegidas para el primer programa de apareamiento burmilla (ARRIBA); la primera generación burmilla (DERECHA), y (ABAJO) ejemplos de la diversidad de colores de pelaje, longitud y dibujo apreciados en generaciones siguientes.

Burmilla

Asiático atigrado punteado

Burmilla

Asiático atigrado

Asiático humo

Bombay

Tiffanie crema

GATOS DE PELO largo de TIPO PERSA

Los persas de pelo largo constituyen una de las razas más conocidas de gatos con pedigrí. Su largo y exuberante pelaje les confiere un aspecto que atrae y seduce al instante. Con el paso del tiempo, el tipo persa ha experimentado cambios notables; hoy es una raza compacta, de cara corta y un pelaje largo y denso que existe en multitud de colores.

Historia

Los gatos de pelo largo han existido en Europa desde el siglo XVI, aunque se sabe que en ciertas partes del mundo se conocían desde mucho tiempo antes.

Las razas de pelo largo originales se encontraban en Turquía, en la región de Ankara, y fueron conocidas como gatos de Angora, si bien no ha de confundirse esta raza con la que hoy se denomina Angora (*véase* «Gatos orientales de pelo corto»). Otras variedades de pelo largo vivían en Persia, actualmente Irán, y se hicieron más populares por lo profuso de su pelaje.

Estos primeros gatos persas, como pasaron a conocerse, tenían un aspecto bastante distinto del que hoy muestran en las exposiciones felinas. Su cara era mucho más larga, y su pelaje, no tan denso y exuberante como sus equivalentes modernos.

CABEZA
Grande y redonda con orejas pequeñas, visibles y separadas

OJOS
Ojos grandes, llenos y redondos no muy hundidos. El color depende del pelaje, y en la raza azul debe ser naranja intenso o cobriz

◆ ABAJO
Un gato persa azul que muestra el estándar correcto de tipo, pelaje y color de ojos

COLA
Corta, pero proporcionada con la longitud total del gato y con una forma típica de «cepillo»

PELAJE
Largo y denso, pero de textura fina y sin signos de lanosidad

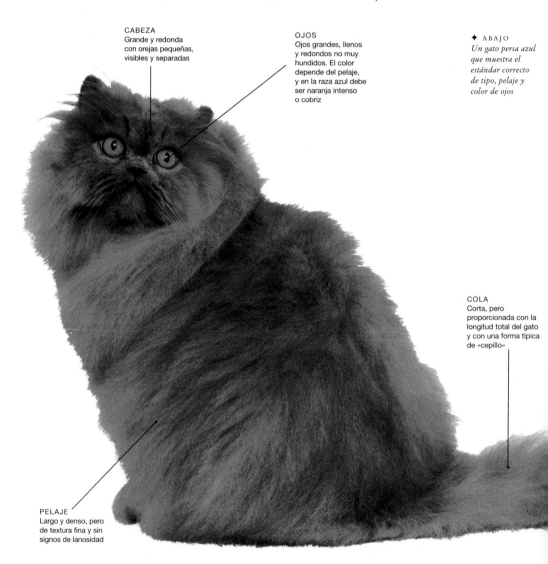

La primera noticia de un gato de pelo largo corresponde a un atigrado marrón del siglo XIX, junto con un ejemplar negro de pelaje liso de la misma época, aproximadamente. A caballo entre los siglos XIX y XX se habían reconocido más de veinte colores distintos, entre ellos el que hoy se considera el más hermoso de todos los de pelo largo, el chinchilla.

Actualmente se conocen más de sesenta variedades y modalidades de color de gatos persas.

Carácter y temperamento

En general, los gatos persas se distinguen por una actitud tranquila y apacible. El tiempo de cepillado y limpieza adicional que requieren se compensa por el hecho de que no demandan una atención personal constante.

En conjunto, los gatos de esta raza no son ruidosos ni se entristecerán si se los deja solos todo el día, mientras se está en el trabajo, aunque siempre será mejor que tengan un compañero, tal vez de la misma raza.

Tipo y estándar de la raza

Los gatos persas siguen un mismo estándar de la raza. Tan solo difieren en el color y el diseño de su pelaje.

Estos animales son probablemente los más apreciados entre las variedades con pedigrí. Su pelaje largo y exuberante, sus colas a modo de cepillo y un «collar» distintivo les dan un aspecto muy atrayente, aunque necesitan bastantes cuidados para mantener el pelo en buen estado. Ello supone tiempo, y todo aquel que pretenda tener un gato persa debe estar preparado para dedicar al menos quince minutos diarios a la limpieza del animal.

Los cánones exigen un gato pequeño y elegante, aunque fuerte, con ojos grandes y expresivos, nariz pequeña y diminuta y orejas separadas. El color de los ojos varía según el del pelaje, y serán siempre complementarios. Cada variante de color requiere una ligera modificación en los estándares, aunque en general se mantendrá el aspecto de gato persa típico.

Colores del pelaje

COLORES UNIFORMES

Negro

El gato persa negro es una de las variedades más antiguas, y todavía se sitúa entre las más populares. En un animal adulto, el pelaje debe ser negro azabache, con los ojos de un tono cobrizo intenso, una combinación espectacular. Aunque los cachorros pueden tener algunas marcas, e incluso unos cuantos pelos blancos o desiguales, en los adultos estas marcas se consideran defectos graves. Recuerde que en todo gato negro, de pelo corto o largo, debe pasar un tiempo hasta que se defina totalmente el color del pelaje, y que hasta los seis meses de edad son aceptables ciertas irregularidades.

Azul

Se dice que el gato persa azul era el favorito de la reina Victoria. Ciertamente, este es uno de los primeros colores de la raza persa, y a menudo se piensa que el original (motivo por el cual sigue siendo una de las modalidades más apreciadas). El pelaje debe ser de color azul claro, o incluso azul grisáceo, sin sombras ni marcas, y los ojos tendrán un color naranja o cobrizo intenso.

✦ ARRIBA
Históricamente, los gatos negros han tenido momentos de mayor y menor popularidad. Este gato persa negro ilustra la belleza de la raza cuando está cuidado.

Chocolate

Es uno de los colores conseguidos más recientemente, como producto de un programa de cría de puntas coloreadas, al igual que la variante lila. El pelaje debe ser liso y uniforme, de tono chocolate oscuro o medio, y los ojos tendrán un color cobrizo intenso.

Crema

Los persas crema se conocen desde finales del siglo XIX, cuando no eran demasiado apreciados al considerarlos ejemplos deslucidos de la variedad del persa rojo.

Hoy se ha invertido esta apreciación, y los persas crema son muy admirados por la belleza de su color. Cuando tienen un color demasiado intenso se considera un defecto; debe ser pálido y uniforme, y los ojos de color cobrizo intenso.

Lila

Otra variedad de gato persa obtenida de un programa de cría de puntas coloreadas. El pelaje debe ser gris paloma rosado y liso, sin signo de marcas o de manchas claras u oscuras. El color de los ojos será cobrizo.

◆ IZQUIERDA
Este gato persa chocolate muestra el color cálido y pardo mediano correcto de su raza.

◆ ABAJO
Los cachorros persas parecen muy listos y atractivos, pero ¿tiene usted el tiempo que requieren para su cuidado?

◆ DERECHA
El persa crema es uno de los más conocidos de los colores lisos de esta raza, y conserva una gran popularidad.

◆ ARRIBA
El persa de color lila, como el chocolate, es una de las variedades nuevas, obtenido a través de un programa de cría de puntas coloreadas.

Rojo

Tal vez sea uno de los colores más antiguos del gato persa, pero es particularmente difícil de obtener en programas de cría, al igual que sucede al intentar criar cualquier gato de color crema o rojo para obtener otro que no tenga marcas atigradas. Para que el pelaje sea perfecto ha de ser de un color naranja vivo y claro, liso hasta las raíces. Los ojos serán de un tono cobrizo intenso.

✦ ARRIBA E IZQUIERDA
El vistoso aspecto del gato persa parece desmentir el hecho de que a esta raza, fuerte y resistente, le gusta salir al exterior si no hay ningún riesgo. Además, los gatos persas tendrán un pelaje más tupido si pueden salir al aire libre durante los meses fríos, aunque ello supone que habrá que dedicar más tiempo a la limpieza.

Blanco

El blanco era el color del Angora original aunque, si bien el tipo persa ha venido prefiriéndose desde los inicios del siglo XX, estos gatos blancos ya no se parecen en nada a sus ancestros turcos. Hoy se adaptan al canon típico de la raza persa, salvo en el hecho de que existen variedades con tres colores de ojos: naranja, azul y desigual (un ojo azul y otro naranja). La única consideración adicional que ha de tenerse en cuenta con los persas blancos es que hay que lavarlos con frecuencia, sobre todo si se les deja libertad para moverse fuera de la casa.

COLOR DE LOS OJOS EN LOS PERSAS BLANCOS

Los persas blancos tienen tres variedades diferenciadas de coloración de ojos (en el sentido de las agujas del reloj, desde la izquierda): naranja, azul y desigual.

143

◆ DERECHA
El persa azul crema
debe mostrar una
combinación bien
entremezclada de
tonos pastel azules
y crema.

Los persas cameo
tienen un pelaje lleno
de contrastes; por
debajo debe ser lo
más claro posible,
con las puntas con
sombras del color
que corresponda,
que puede ser rojo
(DERECHA)
o pardo (MÁS A
LA DERECHA).

COLORES VARIADOS

Bicolor

Estos gatos tienen dos colores que pueden
ser de cualquier tonalidad mezclada con
blanco. Sea cual sea el color principal, los
ojos han de ser cobrizos intensos. Como
sucede con cualquier gato que tenga el
pelaje blanco, los bicolores habrán de ba-
ñarse de vez en cuando para mantenerlos
brillantes.

Azul crema

Es una forma de persa pardo, por lo que
solo suele aparecer en las hembras. Como
en otros gatos pardo, los machos son casi
todos estériles. El color azul crema fue
desarrollado cruzando un persa azul y uno
crema. Los estándares del Reino Unido
exigen que los dos colores estén bien mezclados, sin zonas evidentes de un color
liso. En otros países se opina lo contrario,
y los cánones exigen que haya zonas claramente separadas de colores definidos. En
todo caso, los ojos han de ser de color naranja o cobrizo intenso.

✦ ABAJO
Un ejemplar bicolor
crema y blanco que
muestra las manchas
delimitadas que se
exigen para los
dos colores.

Cameo

Estos son gatos persas con pelaje de puntas restringidas, emparentados con las variedades chinchilla y humo. Existen tres densidades de cameo: concha, sombreado y humo, que dependen del aspecto de las puntas en los distintos pelos. Los cameo concha tienen la mínima cantidad de color en cada pelo; los sombreados poseen pigmentación debajo de la raíz del pelo, y los humo solo presentan un pelaje inferior blanco cuando se les mueve el pelo o si están andando. Estas tres variedades aceptan tres colores: rojo, crema y pardo.

✦ DERECHA
El chinchilla es una de las razas más populares de gatos persas, lo cual no debe sorprender; su aspecto es casi etéreo, con todos y cada uno de los pelos blancos rematados en una punta negra que dota al animal de un especial aspecto «chispeante». Aquí pueden verse los ojos verdes contorneados de negro y la nariz rojo ladrillo, también enmarcada en negro.

Chinchilla

En Estados Unidos, los gatos chinchilla se adecuan a los cánones descritos para los persas en general; en el Reino Unido, los gatos de esta raza pueden tener huesos más finos, con una tendencia a que el hocico sea más largo que la mayoría de los persas.

El chinchilla es una de las razas más populares de pelo largo, y no sin motivo. Su pelaje blanco, con una ligera tonalidad negra en las puntas, los dota de un aspecto brillante, casi etéreo y mágico.

El pelaje debe tener puntas negras distribuidas uniformemente en la cabeza, el lomo, las patas, la cola y los costados; la parte inferior debe ser de un blanco puro. La nariz ha de tener un color rojo ladrillo diferenciado, contorneado en negro. Los ojos, grandes y expresivos, serán verdes, sin rastro de azul; los párpados enmarcados en negro le dan aspecto de máscara.

Puntas coloreadas

(ESTADOS UNIDOS, HIMALAYO)

Esta raza es fruto de la ingeniería genética, resultado de cruzar un persa de color azul con un siamés, que introdujo el diseño de pelaje restringido o factor himalayo. Con independencia del color, el tipo debe ser como el del persa, pero con el color limitado a la cara, las orejas, la cola y las patas. Sin embargo, el color de ojos difiere del tipo persa en que los cánones exigen para todos los puntas coloreadas un azul intenso semejante al de los siameses.

Los puntas coloreadas existen en tantos colores como los siameses: gris, azul, chocolate, lila, rojo, crema, pardo, atigrado y pardo atigrado. Estos colores, y los correspondientes de la nariz y las zarpas, deben ser idénticos a los observados en los siameses (*véanse* más detalles en «Siamés»).

Los persas de puntas coloreadas (Estados Unidos, himalayos) muestran el restringido dibujo de pelaje «himalayo» que fue introducido al cruzar un persa con un siamés, y existen en una variedad de colores y diseños de pelo tan amplia como la de los siameses. Con independencia del color, es importante que las puntas se limiten únicamente a las orejas, la cara, las patas y la cola. Los ejemplos aquí mostrados son pardo atigrado (DERECHA), gris oscuro (ABAJO A LA IZQUIERDA), azul (ABAJO) y crema (ABAJO A LA DERECHA).

Dorado

En los últimos años se ha demostrado que el chinchilla oculta un gen recesivo, el factor rojo. Ello ha dado origen al persa dorado, cuyo pelaje debe ser el mismo en cantidad de puntas que el chinchilla, aunque el color de base puede ser un crema con puntas marrones, con matices sombreados o más claros en las partes inferiores. Al igual que el sombreado plata, el persa dorado puede producirse a partir del chinchilla, al igual que el dorado sombreado, que tiene puntas mucho más densas. Estas dos variedades de dorado deben tener vívidos ojos de color verde, como el chinchilla.

Gris

El gris es el resultado de aparear un chinchilla con uno cualquiera de los persas de colores uniformes. Al igual que el chinchilla, tiene un pelaje con puntas, aunque con una densidad de puntas muy superior. El color de ojos requerido es cobrizo intenso.

Sombreado plata

Es el tipo con más puntas de los chinchilla; algunos criadores no lo consideran una raza independiente. En general, tiene detalles similares al chinchilla, incluida la nariz rojo ladrillo y los ojos con reborde negro; únicamente se distingue por la densidad de las puntas.

◆ DERECHA
Los sombreados plata están muy emparentados con los chinchilla, y muestran los mismos colores de ojos y nariz, aunque un pelaje con puntas más profusas.

◆ DERECHA
Los gatos atigrados exhiben un diseño silvestre de su pelaje que necesitarían en el pasado para camuflarse en la naturaleza, aunque hoy se crían en muchos colores diferentes. El atigrado plata es uno de los colores más apreciados.

◆ ABAJO
Los persas humo pueden admirarse en muchos colores, si bien el clásico es el humo negro. Con independencia del color, el pelaje inferior debe ser lo más blanco posible, con el color más definido en el lomo, la cabeza y las patas. El color de los ojos será siempre cobrizo o naranja.

◆ IZQUIERDA
Este persa atigrado rojo muestra un pelaje realmente largo y exuberante, como suele ser típico de este grupo.

Humo

Esta es otra variedad de gato persa que se conoce desde el siglo XIX. En su origen, se obtuvo cruzando un chinchilla con un persa negro. Las puntas de un persa humo son casi las contrarias que las del chinchilla; el tono claro aparece únicamente en la base, con el efecto de puntas extendido a casi todo el pelo. Con el paso de los años, los persas humo se han producido en colores muy diversos, y hoy se reconocen diez variedades. En todos los tonos, el color de ojos debe ser cobrizo o naranja.

Atigrado

Los atigrados marrones constituyen posiblemente la variedad más antigua de persas, pero, a pesar de que este sea su color más habitual, las cosas cambian y hoy en día se encuentra en más de diez colores: marrón, plata, azul, chocolate, lila, rojo y cuatro colores de pardo atigrado. Como los atigrados se adaptan a los cánones generales de los persas, a menudo es difícil distinguir las marcas atigradas. La mayoría de estos gatos tienen ojos cobrizos intensos; sin embargo, en la variedad plata el color debe ser verde o garzo.

Atigrado y blanco

Los atigrados y blancos se aceptan en los mismos colores que los atigrados. Deben mostrar zonas lisas y uniformes de blanco en el pelaje, y el color de ojos corresponderá al mismo que para los atigrados.

Pardos

Los pardos suelen encontrarse únicamente en el sexo femenino. El color pardo es clásicamente una selección de manchas de rojo, crema y negro. Sin embargo, es posible obtener pardo en colores recesivos

y diluidos de azul, chocolate y lila. Con independencia del color del pelaje, los ojos deberán tener una tonalidad profunda de cobrizo o naranja.

Pardo y blanco
(ESTADOS UNIDOS, CALICÓ)

Las variaciones de color son las mismas que en los pardos, así como el color de ojos. La única diferencia es que el pelaje ha de tener zonas blancas lisas mezcladas con las marcas de color pardo.

◆ ARRIBA

Los gatos pardo y blanco (calicó, en Estados Unidos) deben tener al menos una tercera parte de blanco en su pelaje, y los colores aceptados son los mismos que los del pardo en general.

◆ ABAJO

Los exóticos de pelo corto pertenecen en realidad a la raza persa, ya que son bastante distintos de los británicos de pelo corto pero, como puede verse, tienen el pelo corto. Existen en todos los colores y dibujos aceptados para los persas.

EXÓTICO DE PELO CORTO

Tal vez parezca extraño que se incluya una variedad de pelo corto en una categoría de pelo largo. Es una anomalía, aunque el exótico es en realidad un gato persa de pelo corto; se adecua a todos los cánones de la raza persa, tiene el mismo temperamento, existe en todos los colores reconocidos para los persas y la única diferencia que presenta con los demás grupos es lo corto de su pelaje.

VENTAJAS

- De carácter dulce y cariñoso.
- No demasiado exigentes.
- Mansos con los niños.
- Poco ruidosos; cuando están en celo, las hembras son mucho más tranquilas que la mayoría de las razas.
- Prudentes, se las arreglan bien solos en casa.

INCONVENIENTES

- Requieren un cepillado diario minucioso.
- Las alfombras y los muebles se llenan de pelos.

GATOS DE PELO LARGO DE TIPO NO PERSA

Estas razas son todas completamente diferentes, proceden de regiones diversas del globo y muchas han sido desarrolladas como variedades de «diseño» por los criadores; el único factor común que comparten es que su pelaje es largo, aunque por lo general no tanto ni de forma tan profusa como en las modalidades persas. Cada una de estas razas tiene una personalidad propia, además de necesidades y exigencias genuinas, por lo que todas han de ser tratadas como entidades diferenciadas.

ANGORA

(véase «Gatos orientales de pelo corto»)

BALINÉS

(véase «Siamés»)

BIRMANO

Historia

A menudo, los birmanos se consideran los gatos sagrados de los templos de Birmania, y ciertamente son originarios de aquel país. Esta raza, de gran belleza y que ha alimentado una hermosa leyenda, muestra un dibujo del pelaje muy característico, con zarpas blancas. Se dice que un gato, al percibir que el gran sacerdote estaba agonizando, caminó sobre él y posó con suavidad sus patas sobre el frágil cuerpo del hombre santo para hacerle compañía en sus últimas horas; cuando el sacerdote expiró, las zarpas del animal se tornaron de un blanco de máxima pureza, y así han permanecido hasta nuestros días. Por la devoción de aquel felino por el sacerdote se dice que cada vez que muere un gato birmano, el alma del hombre santo lo acompaña hasta los cielos.

Estas historias están llenas de magia, pero en realidad la raza se ha desarrollado probablemente en fechas mucho más recientes, cruzando un siamés con un bicolor de pelo largo; tal como sucedió en Francia a principios de 1920. El primer birmano tenía un pelaje semejante al del siamés con puntas foca, un color crema pálido y lechoso con puntas gris intensas y, por supuesto, las distintivas zarpas blancas.

Carácter y temperamento

El birmano es una raza inteligente, pero no tan exigente o ruidosa como el siamés o el burmés. Su pelaje semilargo necesita bastante cepillado, aunque no tanto como los persas de pelo largo. Los birmanos son excelentes animales de compañía, mansos con los niños y con otros animales.

Tipo y estándar de la raza

El birmano debe ser un gato de tamaño mediano y pelaje sedoso, aunque nunca tan largo ni tan denso como el de los persas.

Con el paso de los años, los gatos birmanos se han criado en muchos colores diferentes, y hoy se conocen veinte variantes. El foca original es tal vez el más conocido, pero también existen variedades en azul, chocolate, lila, rojo, crema y en los dibujos correspondientes pardo y atigrado. Sea cual sea el color, el pelaje debe estar marcado uniformemente, con las puntas limitadas a la cara, las orejas, la cola y las patas, siempre con zarpas blancas. Estas marcas han de ser simétricas, con los «guantes» de las patas delanteras terminados en línea recta, sin extenderse más allá de la parte delantera de las zarpas; las marcas de las patas traseras, «guanteletes», deben extenderse hasta la parte posterior del corvejón. En todos los birmanos, el color de los ojos debe ser azul zafiro brillante.

◆ ABAJO
Los gatos birmanos proceden de Birmania aunque, a diferencia de los burmeses, originarios del mismo país, tienen el pelo largo. En la imagen, birmanos de puntas azules.

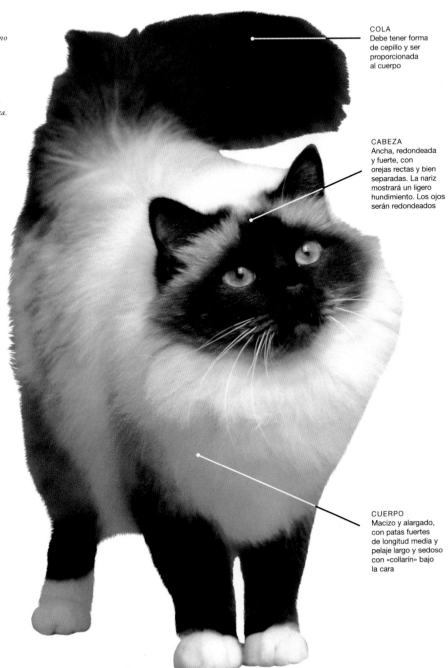

◆ DERECHA
*Este ejemplar de
puntas foca fue el
primer gato birmano
que logró el gran
título en el Reino
Unido. Tan bello
ejemplar macho
exhibe las puntas
más valoradas que
se exigen a esta raza.*

COLA
Debe tener forma
de cepillo y ser
proporcionada
al cuerpo

CABEZA
Ancha, redondeada
y fuerte, con
orejas rectas y bien
separadas. La nariz
mostrará un ligero
hundimiento. Los ojos
serán redondeados

CUERPO
Macizo y alargado,
con patas fuertes
de longitud media y
pelaje largo y sedoso
con «collarín» bajo
la cara

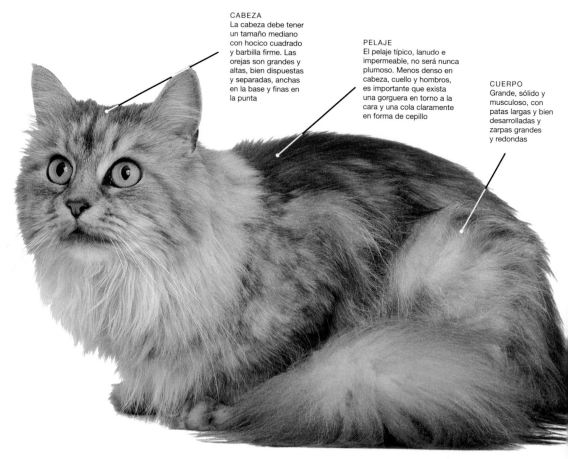

CABEZA
La cabeza debe tener un tamaño mediano con hocico cuadrado y barbilla firme. Las orejas son grandes y altas, bien dispuestas y separadas, anchas en la base y finas en la punta

PELAJE
El pelaje típico, lanudo e impermeable, no será nunca plumoso. Menos denso en cabeza, cuello y hombros, es importante que exista una gorguera en torno a la cara y una cola claramente en forma de cepillo

CUERPO
Grande, sólido y musculoso, con patas largas y bien desarrolladas y zarpas grandes y redondas

✦ ARRIBA
Este Maine Coon plata-atigrado muestra el estándar típico de su raza.

CYMRIC
(*Véase* «Manx, Gatos británicos de pelo corto»)

MAINE COON

Historia

Como sugiere su nombre, este gato es una raza originaria de América, aunque hace poco se ha importado al Reino Unido, donde se está haciendo cada vez más popular. El nombre viene en parte del estado de Maine, donde se vio por primera vez, mientras que «Coon» se deriva de su cola en forma de cepillo que recuerda al mapache (*racoon*, en inglés), muy típica de esta raza. Otra historia, más romántica, de su nombre cuenta que María Antonieta envió a sus queridos gatos a América para que escaparan de la Revolución Francesa, y que fueron aquellos los ancestros de la raza Maine Coon moderna.

Los Maine Coon fueron reconocidos en las exposiciones estadounidenses en 1967, pero solo en 1980 empezaron a popularizarse en el Reino Unido, donde hoy son totalmente aceptados.

Carácter y temperamento

Aunque los Maine Coon pueden llegar a ser gatos grandes, se distinguen por su carácter tranquilo. Les gusta jugar y son muy amigables, por lo que se les aprecia como excelentes mascotas.

Tipo y estándar de la raza

El Maine Coon es un gato de pelo semilargo grande, robusto y extraordinariamente elegante. La cabeza debe ser larga, pero no tanto como en los siameses, con un hocico cuadrado y definido. Las patas son largas y el pelaje, denso, suele ser más profuso en torno al cuello (con un típico efecto de collarín), el vientre, las patas y la cola.

No es tan abundante como en los persas de pelo largo, y no necesita tanta limpieza; sin embargo, es grueso y tupido, para proporcionar aislamiento al animal durante los fríos meses invernales de Nueva Inglaterra. El Maine Coon clásico es atigrado y blanco, aunque la raza se acepta en casi cualquier color y dibujo; los ojos pueden ser verdes, garzos, cobrizos, azules o de distinto color.

◆ DERECHA
Los gatos Maine Coon pardo marrón-atigrado deben mostrar marcas negras y rojas sobre un fondo cobrizo cálido.

◆ IZQUIERDA
Los gatos Maine Coon pardo y blanco tienen un pelaje dominado por el mismo color base, con un pelaje idealmente blanco en la cara, el pecho y las patas.

◆ DERECHA
*Los gatos del bosque
noruego constituyen una
nueva e interesante raza;
tienen una habilidad
única para trepar por
riscos de rocas, y son
al tiempo elegantes y
enérgicos. Este ejemplar
atigrado y blanco azul
ejemplifica el tipo
exigido por
esta raza.*

GATO DEL BOSQUE NORUEGO

Historia

Esta raza se asemeja bastante al Maine Coon, aunque se desarrolló en el frío clima del norte de Escandinavia. Su denso pelaje proporciona a este gato el calor que necesita durante los duros inviernos. Las leyendas noruegas hablan de un gato mágico, que bien podría ser el del bosque noruego con su plumosa cola que le confiere un halo etéreo. Este animal es un trepador excelente, capaz de alcanzar zonas inaccesibles para la mayoría de sus congéneres, y esa cualidad ha añadido una cierta mística a la raza. Estos gatos se han presentado a exposiciones en Noruega desde antes de la Segunda Guerra Mundial, aunque no fueron reconocidos por la Fédération Internationale Féline (FIFe) hasta 1977. Aunque populares en Estados Unidos, se han importado en el Reino Unido en fechas recientes.

Carácter y temperamento

El gato del bosque noruego tiene un carácter vivo e independiente. Es buen cazador y, con su pelaje espeso e impermeable, disfruta enormemente de la libertad del jardín. Le gusta la compañía del hombre y prefiere no quedarse solo durante mucho tiempo.

Tipo y estándar de la raza

La cabeza debe tener una forma aproximadamente triangular, con orejas grandes y rectas. La nariz será recta y los ojos almendrados. El pelaje, denso e impermeable, debe ser largo, con una capa de protección que cubra el denso pelaje inferior.

◆ IZQUIERDA
*Existen gatos del
bosque noruego en
una gran variedad
de colores y dibujos;
en la imagen, un
ejemplar atigrado
y blanco marrón.*

CUERPO
Esta raza de gatos es fuerte, con cuerpo y patas largas. Las patas traseras deben ser más altas que las delanteras. El pelaje es semilargo, con parte la superior brillante e impermeable, y un «collarín» le rodea el cuello

CABEZA
La cabeza tendrá forma triangular, y el perfil será recto con barbilla fuerte, orejas altas con buena anchura en la base y las puntas en copete y largo pelo saliendo de los orificios auditivos. Los ojos son grandes y oblicuos

COLA
En cepillo, suficientemente larga para que llegue al cuello

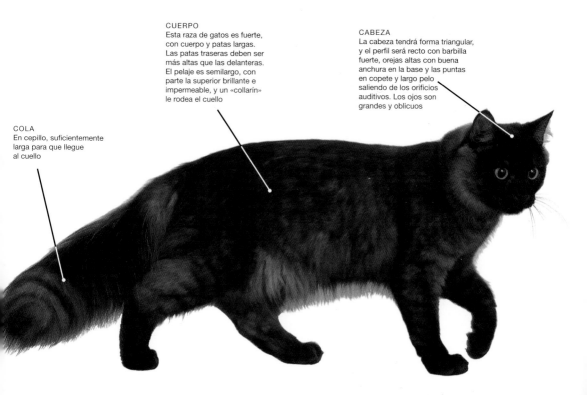

✦ ARRIBA
Esta variedad humo del gato del bosque noruego exhibe la cola en «cepillo» característica con bastante perfección.

✦ DERECHA
Los persas de cara pequinesa no siguen los cánones generales de la raza persa. Nunca han sido aceptados ni criados en el Reino Unido, pero sí en otros países como Estados Unidos, donde existen en numerosos colores y dibujos aceptables para los persas.

CARA PEQUINESA

Se trata de una raza que despierta cierta controversia, asociada fundamentalmente con un tipo «ultrapersa». Ha sido incluida en esta sección porque algunos de sus rasgos no son aceptables, normalmente, en el tipo persa de pelo largo. La nariz, muy corta, es casi plana, y entre los ojos hay bastante separación, que deja espacio para unas cejas típicas muy pobladas y globos oculares grandes y salientes. Esta raza solo se ve en Estados Unidos, aunque en otros países se crían algunos gatos como tipo ultrapersa, si bien no tan extremos. Por su temperamento y carácter son animales muy parecidos a los persas de pelo largo y, en las muestras en las que se han exhibido como razas independientes se han visto ejemplares de todos los colores reconocidos para los persas.

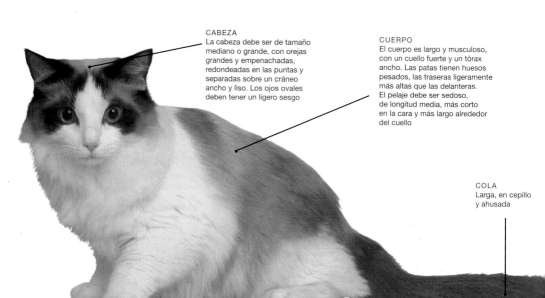

CABEZA
La cabeza debe ser de tamaño mediano o grande, con orejas grandes y empenachadas, redondeadas en las puntas y separadas sobre un cráneo ancho y liso. Los ojos ovales deben tener un ligero sesgo

CUERPO
El cuerpo es largo y musculoso, con un cuello fuerte y un tórax ancho. Las patas tienen huesos pesados, las traseras ligeramente más altas que las delanteras. El pelaje debe ser sedoso, de longitud media, más corto en la cara y más largo alrededor del cuello

COLA
Larga, en cepillo y ahusada

◆ ARRIBA
Ragdoll bicolor, que muestra la marca correcta en «V» en la frente.

RAGDOLL
(MUÑECA DE TRAPO)

Historia

La historia de esta raza, que fue reconocida en Estados Unidos en 1960, está rodeada de una gran controversia. Se dice que el encanto del ragdoll reside en que se deja caer en los brazos de quien lo sostiene, como una muñeca de trapo, aunque esta cualidad no es rara en cualquier gato que confíe en su dueño.

Según se cuenta, los primeros cachorros de ragdoll nacieron en California de una madre persa de color blanco que, tras un problema de apareamiento y después de sufrir una rotura de pelvis en un accidente de automóvil, tuvo una camada que se dejaba caer en los brazos al acunarla. Ese relato es genéticamente imposible, ya que el resultado de un accidente de tráfico no puede ser un cambio en la configuración genética del gato que pudiera transmitirse a generaciones posteriores. La verdad sobre el nacimiento de los ragdoll sigue sujeta a especulaciones. Si se miran las variedades de esta raza aceptadas en la actualidad, es probable que los ragdoll tengan un antepasado emparentado con los siameses, los puntas coloreadas o los birmanos.

Carácter y temperamento

El ragdoll es probablemente una de las más pacíficas de las razas de gatos domesticados que existen. Poco exigente y muy tolerante a la mayoría de las situaciones, suele ser amable y tranquilo. Se dice que estos gatos tienen una resistencia al dolor más baja que la mayoría de sus congéneres, pero es discutible, y desde luego no puede demostrarse.

Tipo y estándar de la raza

Existen tres formas básicas de ragdoll comúnmente aceptadas: bicolor, puntas coloreadas y *mitted*, en colores que van del gris, al azul, el chocolate y el lila. Las zonas coloreadas suelen limitarse a la cara, las patas y la cola, análogamente a las marcas restrictivas de los birmanos y los puntas coloreadas. El pelaje es particularmente largo en el pecho y el abdomen, en la parte posterior de la cabeza (con un collarín característico) y en la cola, que debe ser gruesa y lustrosa. Los ojos son siempre azules.

SOMALÍ
(*véase* «Abisinio,
Otros gatos de pelo corto»)

TIFFANIE
(*véase* «Gatos asiáticos,
Otros gatos de pelo corto»)

VAN TURCO

Historia

Esta es una raza natural de gato que fue descubierta por primera vez a las orillas del lago Van, una zona remota de Turquía. Lo más sorprendente de la misma es que no solo le gusta el agua, sino que le encanta nadar. Probablemente desciende del gato de Angora, una de las variedades originales de pelo largo, y se distingue por unas atractivas marcas de tono castaño rojizo alrededor de la cara y en la cola. Los van turcos tienen una «impronta» genuina entre las orejas, que los turcos llaman el estigma de Alá y, por este motivo, en su tierra natal se trata a estos gatos con gran respeto. En un viaje a la moderna Estambul veremos gatos callejeros que, aunque mayoritariamente de pelo corto, suelen ser blancos con marcas castaño rojizo. A principios de 1950, la primera pareja

de estos gatos fue llevada a Gran Bretaña como inicio de un programa de cría; en 1969, esta raza fue reconocida oficialmente. En la actualidad participa en exposiciones felinas a ambos lados del Atlántico.

Carácter y temperamento

Los van turcos son muy amistosos, sociables e inteligentes, y les gusta la compañía. Su voz es suave, y se sienten felices de vivir tranquilamente dentro de la casa, donde puedan recibir atención y aprovechan el tiempo libre de sus dueños para jugar. También agradecen las oportunidades de nadar y, si no tiene piscina, tal vez pueda dejarlos que se ejerciten en la bañera.

Tipo y estándar de la raza

La forma clásica de van turco es un gato de pelo semilargo y color blanco mate con marcas castaño rojizo que se limitan a la cabeza, las orejas y la cola, y con ojos de color ámbar. Con el tiempo se han ido anotando otros colores, y hoy se acepta el van en tonos castaño rojizo y crema y con ojos ámbar, azules o de distinto color. La cabeza tiene forma de cuña corta, con nariz alargada y orejas grandes y puntiagudas.

CUERPO
Gato largo y robusto
de complexión fuerte
y musculosa,
con patas de
longitud media

CABEZA
La cabeza debe ser
en cuña y corta, con
una nariz larga y recta
en perfil, aunque con
un orificio ligeramente
perceptible. Las orejas
son grandes, bien
levantadas en
la cabeza y bastante
juntas. Los ojos serán
grandes u ovalados

◆ DERECHA
*El van turco clásico
tiene pelo blanco,
con marcas de color
castaño rojizo
y ojos ámbar.*

COLA
La cola debe ser
de tipo cepillo y
proporcionada al
tamaño del resto
del cuerpo

GATOS DE PELO CORTO BRITÁNICOS Y AMERICANOS

Los gatos de pelo corto británicos y americanos deben su nombre a que son originarios de estas dos zonas del mundo. Aunque los americanos probablemente proceden de Gran Bretaña y viajaron a América en los tiempos de los colonos de principios del siglo XVII, las dos razas siguen siendo muy semejantes, y apenas se aprecian diferencias menores en sus cánones.

HISTORIA

La historia de esta raza se remonta a los tiempos del Imperio Romano; se cree que los primeros gatos de pelo corto llegaron a Gran Bretaña con las tropas romanas invasoras. Los documentos escritos más antiguos de gatos británicos de pelo corto datan apenas de los inicios del siglo XX, aunque por las pinturas y grabados antiguos parece claro que llevaban ya en este territorio al menos unos setecientos años.

Los gatos de pelo corto se criaban en su origen principalmente por su aptitud para cazar ratones y por el hecho de que, a diferencia de los persas y los gatos de Angora también conocidos en esa época, no necesitaban ayuda del hombre para limpiarse. Es así una variedad autosuficiente que rendía al hombre un servicio útil hasta el punto de que, según las crónicas, a bordo de la mayoría de los barcos que zarparon hacia el Nuevo Mundo se incluían varios de estos gatos en la lista de pasajeros.

El tipo más antiguo conocido de gatos de pelo corto es el atigrado. Marcado de forma elegante y atractiva por franjas o manchas negras, el pelaje atigrado rememora los rasgos de los primeros gatos que existieron en estado salvaje; los que eran objeto de adoración en Egipto portaban marcas semejantes, aunque con pelajes normalmente más moteados. En las exposiciones, los atigrados siguen siendo muy apreciados, aunque se ve más el atractivo atigrado plata que el original pardo, que últimamente parece haber sido ignorado.

Las variedades de colores uniformes de gatos británicos y americanos de pelo corto se encuentran entre las más valoradas, en particular la azul. Se han desarrollado otros colores y dibujos; una es la llamada variedad punteada, que muestra marcas en el pelaje que recuerdan al chinchilla y al de puntas coloreadas, una variedad de gato británico con un dibujo de pelaje distintivo limitado a zonas que suelen ser típicas del siamés.

✦ ABAJO
El gato británico de pelo corto es esencialmente un felino fornido, como ilustra bien este ejemplar blanco de ojos naranjas.

Carácter y temperamento

Los gatos de pelo corto británicos y americanos se sitúan entre los felinos domésticos más grandes que existen, si bien por su actitud dulce y reservada se han ganado el sobrenombre de «gigantes tranquilos». Son cariñosos y afectuosos; su maullido es poco ruidoso y, como los persas, no necesitan demasiadas atenciones de su dueño. En general, no parecen tener las ansias de conocer mundo que distinguen a otras razas y tampoco les importa vivir recluidos en pisos. Incluso si se los deja campar por un jardín, es poco probable que vayan muy lejos.

Tipo y estándar de la raza

Los gatos británicos y americanos de pelo corto deben ser grandes, fuertes, robustos y musculosos. El macho tiene mayor tamaño que la hembra, lo que se aprecia más claramente que en casi todas las demás razas. Cuando se los esteriliza, sobre todo los machos, muestran tendencia a la obesidad, por lo que ha de vigilarse su dieta de cerca.

Normalmente, el pecho debe ser ancho, con patas cortas y fuertes y zarpas redondeadas y bien dibujada. La cabeza será ancha y redonda, y en los machos mostrará quijadas definidas. De perfil, la nariz mostrará un «tope», y la mandíbula tendrá una mordida a nivel, sin que sobresalgan el labio superior o el inferior. Las orejas serán pequeñas y bien separadas. En todos los colores y diseños, el pelaje será corto, encrespado y denso, pero sin parecer lanoso; la única excepción es la que distingue a las variedades Manx.

El aspecto general de los gatos británicos corresponde a un animal vigoroso y fornido, sin la extrema expresión facial de los persas; normalmente, se acepta que los gatos americanos de pelo corto sean un poco más pesados y largos que sus parientes británicos. Los colores disponibles son casi todos los aceptados para los gatos persas, más en las variedades americanas que en las británicas.

Colores del pelaje

COLORES UNIFORMES

Blanco

Aunque el color del pelaje debe ser el mismo, un blanco puro y uniforme, se aceptan tres tonos de ojos diferentes: naranja, azul y un ojo de cada color. En un cachorro de corta edad se admite una mancha de color más oscuro en la parte superior de la cabeza; en la edad adulta, estas manchas deben haber desaparecido, y si permanecen se consideran un defecto importante.

Negro

El color del pelaje exigido es un negro lustroso y brillante. Más aún, debe ser liso en las raíces, sin vestigio alguno de otro tinte, marcas atigradas, pelos blancos o manchas de ese mismo color. Los ojos serán cobrizos intensos, sin trazas de verde.

✦ ABAJO
El gato británico negro es típico de esta raza; aunque los cachorros son muy atrayentes, debe saberse que crecerán hasta alcanzar un buen tamaño, sobre todo si son machos.

Azul

Tal vez sea esta la variedad de pelo corto más conocida de todas; en algunas partes de Europa se conoce también por cartujano. El pelaje debe tener un color característico azul grisáceo, sin destellos plateados, y con un tono liso en las raíces. El color de los ojos será cobrizo intenso, como en el negro.

Crema

Es deseable un color crema pálido y uniforme; en la práctica, este tono es difícil de obtener, y muchos gatos muestran marcas de manchas o franjas «fantasmas» tenues. El color de ojos será cobrizo intenso.

Chocolate

Debe tener un color de pelaje marrón chocolate medio, uniforme y liso, y los ojos serán cobrizos.

◆ DERECHA
El británico azul,
con los ojos
de color cobrizo
dorado como se exige,
puede crecer hasta
tener un tamaño más
que respetable.

◆ ARRIBA
Los británicos
de color chocolate
son de desarrollo
relativamente
reciente y, como sus
equivalentes persas,
han surgido como
consecuencia del
programa de cría de
puntas coloreadas.

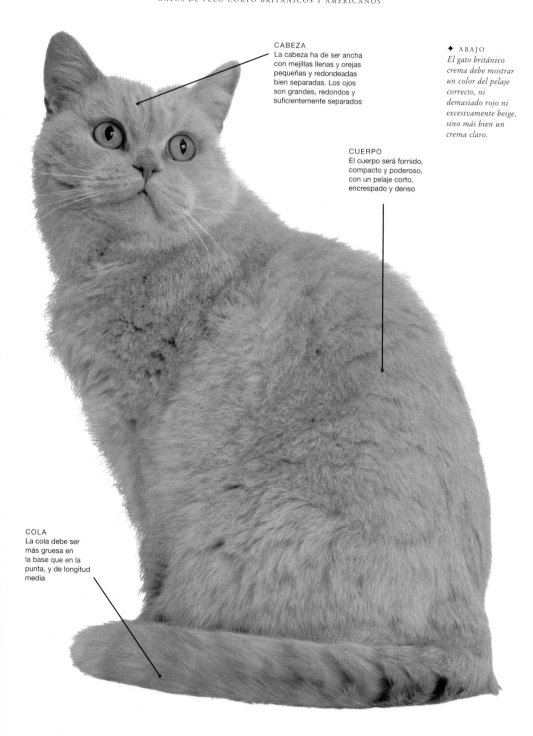

CABEZA
La cabeza ha de ser ancha con mejillas llenas y orejas pequeñas y redondeadas bien separadas. Los ojos son grandes, redondos y suficientemente separados

◆ ABAJO
El gato británico crema debe mostrar un color del pelaje correcto, ni demasiado rojo ni excesivamente beige, sino más bien un crema claro.

CUERPO
El cuerpo será fornido, compacto y poderoso, con un pelaje corto, encrespado y denso

COLA
La cola debe ser más gruesa en la base que en la punta, y de longitud media

Lila

Un pelaje gris paloma liso y sonrosado se combina con ojos cobrizos. El lila y el chocolate son colores bastante recientes, obtenidos del programa de cría de puntas coloreadas.

✦ ABAJO
Padre e hija de uno de los nuevos colores, el lila, en una ilustración que revela el tamaño claramente mayor de los machos de esta variedad.

✦ ARRIBA
El gato americano de pelo corto difiere ligeramente de los cánones fijados para el británico; en general, es más largo y tiene huesos menos pesados.

ATIGRADOS

Británico atigrado moteado rojo.

Americano atigrado marrón.

Británico atigrado plata.

COLORES VARIADOS

Atigrado

Existe en tres dibujos aceptables: clásico, caballa y moteado, en su mayoría en colores marrón, azul, rojo y plata. Independientemente del color, las marcas serán de un tono mucho más intenso que el fondo; por ejemplo, los atigrados marrones deben tener un color de fondo oscuro con marcas negras, los rojos presentan un rico fondo rojo con marcas rojas más intensas características y los atigrados plata tienen un cuerpo plateado con marcas de color negro. El color de los ojos depende del tono del pelaje; en los rojos y marrones debe ser cobrizo o naranja, y en los plateados será verde o garzo.

✦ ABAJO
Los atigrados moteados constituyen una raza muy conocida, en particular los plateados. En todo su pelaje aparecen numerosas manchas bien definidas.

◆ DERECHA
*El británico pardo
y marrón debe tener
un pelaje con una
mezcla de negro,
rojo brillante
y crema.*

Pardo

Como sucede con el persa, en el Reino Unido se desea una mezcla bien conseguida de colores, sin manchas lisas de ningún color. La variedad más conocida, y la vista con más frecuencia, es el azul crema, solo en hembras. Sin embargo, existen múltiples colores, y el color de ojos ha de ser el mismo que el que domine en el pelaje.

Pardo y blanco

Esta variedad se ha conseguido apareando un pardo con un bicolor, y existe en los mismos tonos que los pardo. Es importante que las zonas blancas estén claramente definidas, y el color de ojos será como en los pardo.

Puntas coloreadas

Es la modalidad de color más reciente, obtenida por los criadores con ingeniería genética. El cruce original se produjo entre un británico y un gato de pelo largo de puntas coloreadas, que resultó en unas primeras generaciones que mostraban un pelaje ligeramente lanudo; hoy en día, este rasgo se ha erradicado, y los puntas coloreadas muestran los pelajes y tipos propios del gato británico. Existen en todos los colores observados en los siameses y, a diferencia de casi todos los demás británicos, tienen los ojos azules.

◆ IZQUIERDA
*El británico azul
crema mostrará un
pelaje constituido por
una buena mezcla de
azul y crema claro.*

✦ ARRIBA
En los gatos de puntas coloreadas se exige un buen contraste entre el color básico del pelo y las puntas, como se ilustra en estos puntas coloreadas azul (IZQUIERDA) y pardo (DERECHA).

✦ IZQUIERDA
Gato de puntas coloreadas de color chocolate que muestra claramente las limitaciones de dibujo exigidas para el color del pelaje.

- Dulce y cariñoso.
- Manso con los niños y con otros animales.
- Apenas necesita cepillado y limpieza (salvo Manx y Cymric).
- Es una raza sana y robusta.
- No le importa estar solo, siempre que tenga otro gato como compañía.

INCONVENIENTES

- Proclive a engordar, sobre todo si ha sido esterilizado.
- Aunque es muy bonito de cachorro, puede llegar alcanzar de adulto un tamaño considerable.
- Las variedades Manx requieren sesiones diarias de limpieza y cepillado.

Punteado

Es un gato británico oculto detrás de una versión de pelo corto del pelaje del chinchilla. Las puntas del pelo deben ser negras con capa inferior de un blanco puro, la nariz ha de ser de color rojo ladrillo perfilada en negro y los ojos están contorneados en negro. Los británicos punteados se han criado en múltiples colores aunque, sea cual sea el color, la pigmentación debe encontrarse únicamente a las puntas extremas del pelo.

Humo

En la práctica, es la variedad contraria del británico punteado. El británico humo muestra un pelaje inferior plateado con un color más denso que se extiende a lo largo del pelo. Como color principal se acepta cualquiera de los característicos de los británicos de pelo corto. Los adultos no deben mostrar vestigios de marcas atigradas o de cualquier pelo blanco. Los ojos son cobrizos, dorados o naranjas.

Bicolor

Este gato tiene dos áreas de color, que corresponderán a cualquiera de los tonos y dibujos reconocidos para los británicos, pero debe mostrar manchas simétricas de blanco con el color de fondo.

◆ ARRIBA
El británico punteado es un gato británico de pelo corto con el gen del chinchilla introducido en su genoma para producir el efecto típico de las puntas del pelo.

PUNTAS

Punteado: el color oscuro está limitado a las puntas del pelo.

Humo: el color oscuro se extiende casi a las raíces.

◆ ARRIBA A LA IZQUIERDA
Este ejemplar puede parecer un gato negro, pero es el británico humo; la diferencia reside en que su pelaje inferior es plateado, y no negro hasta las raíces.

◆ ARRIBA
A LA DERECHA
Un británico bicolor azul, uno de los muchos colores disponibles para este dibujo de pelaje.

◆ DERECHA
El británico bicolor debe tener manchas de color uniforme y blanco, de manera que para que sea perfecto las manchas deben ser lo más simétricas posible, como en el caso de este bicolor crema y blanco.

◆ DERECHA
El clásico Manx
rumpy *no tiene*
vestigio alguno de
cola y, como se ve en
este ejemplar pardo y
blanco, muestra una
protuberancia en el
lugar de la cola más
alta que los hombros.

◆ ABAJO A
LA IZQUIERDA
Un Manx stumpy *blanco,*
que muestra el cuarto
trasero característico
exigido por el estándar
de la raza.

◆ ABAJO A
LA DERECHA
Ejemplar de Manx sin cola
de ojos de distinto color,
inaceptable para las
necesidades de las
exposiciones felinas
aunque útil para los
programas de cría
de Manx.

MANX
(y Cymric)

El Manx se diferencia bastante de los demás gatos británicos de pelo corto, y no solo porque, en general, carece de cola. El tipo requerido para un Manx es menos exigente que en otros gatos británicos y americanos. Además, la nariz del Manx suele ser algo más larga. El pelaje se acepta en cualquier color o combinación, es más espeso y muestra más tendencia a enredarse que el clásico del británico de pelo corto; por este motivo, necesita más cepillado y limpieza.

Los Manx existen normalmente en cuatro formas: *rumpy*, *stumpy*, con cola y *Cymric*. Los primeros no tienen cola y, para ser perfectos según el estándar, deben mostrar un hundimiento perceptible en la base de la columna, donde debería estar la cola; es el único tipo de Manx reconocido para exposición en el Reino Unido, aunque los demás tipos se usan para crianza. Los *stumpy* tienen una cola pequeña, a modo de una especie de saliente en la base de la columna, y es posible obtener también variedades de Manx con cola. Todos los Manx deben tener patas traseras notablemente más largas que las delanteras, lo que les da su andar típico y bastante inusual, que recuerda al de un conejo.

El Cymric es una variedad de Manx de pelo largo, bastante rara, sobre todo en el Reino Unido. En carácter y temperamento, Manx y Cymric siguen los cánones de los demás gatos británicos, por lo que son muy apreciados como mascotas.

◆ ARRIBA
El Cymric, raro en Gran Bretaña pero popular en Estados Unidos, es una variedad del Manx pero de pelo largo.

GATOS ORIENTALES DE PELO CORTO

*El gato oriental es una raza en gran parte creada artificialmente.
Aunque los tipos siameses de colores lisos se conocen desde
hace muchos años, en general son resultado de un error de
apareamiento y no empezaron a ser populares hasta 1950.
Entonces tuvieron lugar cruces experimentales de siameses
y rusos azules, entre otros, y de ello surgió la variedad
denominada habana. Producto de este programa
de cría fue también el oriental lila.*

con un abisinio. También es posible criar orientales con pelaje humo, disponibles hoy en múltiples colores. Genéticamente, esta categoría puede producir una variedad casi ilimitada de colores y dibujos de pelo.

Carácter y temperamento

Los gatos orientales son, en esencia, siameses sin el restrictivo carácter himalayo en el pelaje. Muestran exactamente el mismo tipo y conformación que los siameses, y su temperamento también coincide: son personalidades extrovertidas que exigen mucha atención.

Los orientales emiten maullidos muy agudos y a menudo interrumpen la conversación: no son niños bien educados que solo hablan cuando se les dice. Quieren participar en todas las actividades de la casa, compartir la cama del dueño o ayudar a lavar los platos. Al igual que a los perros, les encantan los juegos de traer cosas y pueden pasarse horas absortos destrozando el papel. No les gusta estar sin compañía durante períodos largos, y agradecerán un compañero felino si el dueño trabaja fuera todo el día.

Tipo y estándar de la raza

Sea cual sea el color o el dibujo, el estándar exige que la forma y el tipo del gato sean exactamente los mismos que en los siameses (*véase* «Siamés»). Ello significa que el oriental tiene un tamaño medio y que debe ser firme y musculoso. Elegante y esbelto, pese a su forma y su tamaño debe transmitir sensación de cierta pesadez. Los gatos orientales no deben nunca parecer escuálidos ni demasiado ligeros.

El color de los ojos varía complementariamente al del pelaje, y la forma debe mostrar el típico sesgo oriental. Las orejas estarán bien separadas y, vistas de frente, darán un aspecto triangular al rostro, desde la punta de ambas orejas al extremo de la nariz. De perfil, la nariz será recta.

Historia

Pronto se hicieron posibles los colores lisos, aparte del lila original, y hoy existen gatos orientales reconocidos en diez colores, con los sietes tonos asociados del pardo.

Conforme fue ampliándose la popularidad de los orientales y los criadores empezaron a conocer las posibilidades genéticas de los distintos dibujos del pelaje, se lanzó un nuevo programa de cría. De él surgieron, mediante apareamiento de siameses de puntas atigradas, variedades como los orientales moteados, clásicos y atigrados caballa, en todas sus distintas variaciones. El atigrado punteado se obtuvo cruzando un siamés de puntas foca

Colores del pelaje

COLORES UNIFORMES

Deben ser de un mismo tono general, liso en las raíces y sin indicios de sombras, franjas, marcas atigradas o pelos blancos. Seguidamente mostramos algunos de los colores reconocidos actualmente:

Habana

Es un marrón intenso y cálido con nariz marrón y zarpas de un pardo rosáceo. Los ojos serán verdes intensos.

Blanco

El color exigido es un blanco claro y brillante, con nariz rosa claro y zarpas de este mismo color; los ojos serán de un azul zafiro brillante.

Negro

Se requiere un negro liso y brillante, con zarpas y nariz del mismo color y ojos verdes intensos.

Azul

Será un azul claro o medio, con nariz y zarpas del mismo color y ojos verdes.

Lila

Se exige un gris escarcha, con nariz y zarpas color azul lavanda y ojos verdes.

Otros colores lisos recientes son el rojo, el crema, el canela, el caramelo y el beige.

COLORES VARIADOS

Pardo

El gen rojo ligado al sexo dará lugar al pardo, que suele ser una variedad propia únicamente de las hembras. El pardo habitual es una mezcla bien combinada de rojo, crema y marrón, con zarpas negras y/o rosas y nariz de ese mismo color; los ojos serán verdes. Los pardos pueden verse hoy en otros colores, como el chocolate, el canela, el caramelo y el beige; sea cual sea la tonalidad principal, es importante que los colores complementarios combinen bien y que los ojos tengan el mismo tono que el que domina el pelaje.

◆ ARRIBA
El oriental canela es uno de los nuevos colores obtenidos en esta sección, en un tono canela muy cálido.

◆ IZQUIERDA
El oriental crema debe tener un color crema frío, aceptándose que tenga marcas atigradas débiles, en otro buen ejemplo de esta raza.

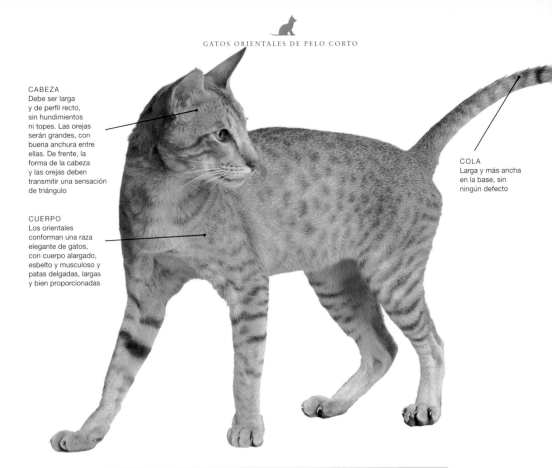

CABEZA
Debe ser larga
y de perfil recto,
sin hundimientos
ni topes. Las orejas
serán grandes, con
buena anchura entre
ellas. De frente, la
forma de la cabeza
y las orejas deben
transmitir una sensación
de triángulo

CUERPO
Los orientales
conforman una raza
elegante de gatos,
con cuerpo alargado,
esbelto y musculoso y
patas delgadas, largas
y bien proporcionadas

COLA
Larga y más ancha
en la base, sin
ningún defecto

✦ ARRIBA
*Un oriental atigrado
manchado de color
chocolate, que exhibe
puntos redondeados
distribuidos de
manera uniforme.*

ATIGRADOS PUNTEADOS

Oriental atigrado punteado rojo.

Oriental atigrado punteado canela.

Oriental atigrado punteado lila.

Oriental atigrado punteado chocolate.

✦ IZQUIERDA
*Sea cual sea el color,
el atigrado punteado
debe mostrar un
pelaje con puntas
uniformes y dos, o
preferiblemente tres,
bandas de color en
cada pelo. Se acepta
también que en
la zona inferior
aparezcan marcas
ligeramente atigradas,
pero la parte
principal del pelaje
debe estar limpia
de manchas, franjas
u otras señales.*

Atigrado

Los orientales atigrados muestran cuatro dibujos posibles: clásico, moteado, caballa y punteado. En total, existen atigrados en más de treinta colores distintos. El pelaje y el color de ojos deben coincidir con el tono de color uniforme.

Humo, sombreados y punteados

Con estas variedades, el pelaje no tiene un dibujo visible; cada pelo muestra una cantidad diferente de color que transmite un efecto uniforme. En los punteados existe una pequeña cantidad de color visible en la punta de cada pelo; en el humo sucede más bien lo contrario, con el color del pelaje extendido casi hasta la piel. La variedad sombreada se encuentra entre las otras dos. De nuevo, es posible criar esta serie en todas las variantes de color.

ANGORA

El gato de Angora es a los orientales lo que el balinés al siamés: una variedad de pelo largo en una raza que debería ser de pelo corto. El pelaje no es tan largo ni tan denso como los persas, y es fácil de cuidar. En todo lo demás, incluido el carácter y el temperamento, es en esencia un oriental. Los gatos de Angora pueden criarse en todas las variantes de color y dibujo aceptables para los orientales.

VENTAJAS
• Muy elegante y atractivo. • Pelaje corto y poco crecido que no exige apenas cuidados ni se cae, por lo que no mancha de pelos. • Temperamento cariñoso, inteligente y juguetón. • Sociable.

INCONVENIENTES
• Maullido muy agudo, sobre todo en celo. • No deja de hacer ruidos. • Puede romper cosas si se le deja solo durante ratos largos. • Los gatos de Angora necesitan cuidados frecuentes del pelaje.

✦ DERECHA
El gato de Angora es la variedad oriental de pelo largo, con un pelaje distintivo de lustre sedoso. En tipo y complexión general, se encuadra bien en la categoría oriental.

OTRAS RAZAS
DE PELO CORTO

*Todas las razas de pelo corto que no son las variedades de gatos
británicos, americanos, burmeses, siameses y orientales se
clasifican en el Reino Unido como extranjeras. Para los fines
de este libro incluiré también en esta sección algunas razas
de pelo corto propias únicamente de ciertos países.*

La única característica que tienen en común estas razas es su acusada personalidad, que las hace todavía más exigentes que otras; en cambio, el color, el dibujo y la textura de su pelo son muy variables en las distintas razas. Estos gatos provienen de todas las partes del mundo y pertenecen a numerosas variedades. Algunas razas han sido importadas a Occidente desde países remotos, mientras que otras se conocen desde hace siglos; por ejemplo, se cree que el abisinio es un descendiente de los gatos del antiguo Egipto, y que el elegante korat es el «Si-Sawat», o gato sagrado de Tailandia. Hablaremos de razas que han sufrido mutaciones naturales, como el gato sin pelo conocido por esfinge, y las razas llamadas Rex de pelo crespo; y, cómo no, veremos otras variedades de «diseño», obtenidas por modificaciones genéticas por los criadores, como el burmilla, el bengalí y el ocicat.

ABISINIO
(y somalí)

Historia

Es esta una raza de gato antigua que, según se piensa, fue importada al Reino Unido desde Abisinia, la actual Etiopía. Por su forma, tamaño y pelaje distintivo mantiene un notable parecido con los gatos momificados que se han descubierto en las tumbas egipcias y en las pinturas murales que describen a Bastet y a otras divinidades felinas. Posiblemente, el abisinio desciende directamente de los gatos sagrados del antiguo Egipto, lo que envuelve a esta raza en un cierto halo épico.

En los últimos años se ha reconocido una variedad de pelo largo llamada somalí. Es probable que estos gatos de pelo largo hayan existido desde hace bastantes años, aunque en el pasado se los consideraba abi-

◆ ABAJO
El somalí es básicamente un gato abisinio de pelo largo; cumple los cánones de esta raza, excepto la longitud del pelo, y existe en la misma variedad de colores.

CABEZA
La cabeza debe tener forma de cuña moderada o media, y el hocico ha de mostrar contornos suaves, sin mentón en punta. Las orejas son grandes, anchas en la base, bastante separadas y con «penachos» auditivos típicos; los ojos, grandes y expresivos con sesgo oriental, deben ser ámbar, verdes o garzos

CUERPO
Constitución media, firme y musculosa

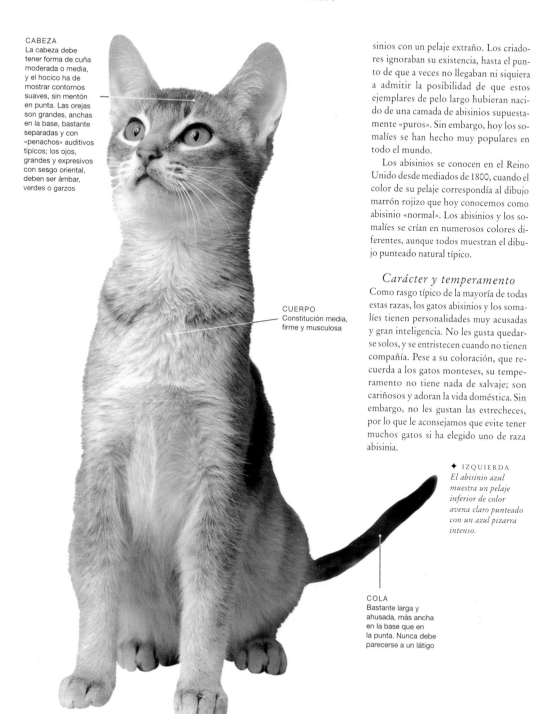

sinios con un pelaje extraño. Los criadores ignoraban su existencia, hasta el punto de que a veces no llegaban ni siquiera a admitir la posibilidad de que estos ejemplares de pelo largo hubieran nacido de una camada de abisinios supuestamente «puros». Sin embargo, hoy los somalíes se han hecho muy populares en todo el mundo.

Los abisinios se conocen en el Reino Unido desde mediados de 1800, cuando el color de su pelaje correspondía al dibujo marrón rojizo que hoy conocemos como abisinio «normal». Los abisinios y los somalíes se crían en numerosos colores diferentes, aunque todos muestran el dibujo punteado natural típico.

Carácter y temperamento

Como rasgo típico de la mayoría de todas estas razas, los gatos abisinios y los somalíes tienen personalidades muy acusadas y gran inteligencia. No les gusta quedarse solos, y se entristecen cuando no tienen compañía. Pese a su coloración, que recuerda a los gatos monteses, su temperamento no tiene nada de salvaje; son cariñosos y adoran la vida doméstica. Sin embargo, no les gustan las estrecheces, por lo que le aconsejamos que evite tener muchos gatos si ha elegido uno de raza abisinia.

✦ IZQUIERDA
El abisinio azul muestra un pelaje inferior de color avena claro punteado con un azul pizarra intenso.

COLA
Bastante larga y ahusada, más ancha en la base que en la punta. Nunca debe parecerse a un látigo

◆ DERECHA
*El abisinio normal
tiene un color
marrón dorado, con
puntas negras, y la
base del pelo debe
ser de un color rojizo
o albaricoque.*

◆ ABAJO
*El somalí alazán
tiene un pelo de
color cobrizo
cálido punteado
de chocolate.*

Tipo y estándar de la raza

Este gato debe tener un tamaño medio, con un pelaje punteado de brillo lustroso. El aspecto general será el de un felino elegante: cabeza redonda con forma acuñada; orejas grandes y bien separadas con puntas en penacho; cuello largo y patas también largas y esbeltas, y cola, más estrecha en el extremo, proporcionada con la dimensión del cuerpo.

El color de ojos será ámbar, verde o garzo, y hoy se aceptan pelajes de numerosos colores: normal, alazán, azul, chocolate, lila, plata, beige, rojo, crema y los tonos derivados del pardo.

◆ IZQUIERDA
El abisinio alazán muestra un dibujo típico de pelaje punteado.

◆ PÁGINA
ANTERIOR
*El gato rizado
americano tiene orejas
muy características
que se curvan hacia
atrás desde la cara.*

AMERICANO DE PELO DURO Y RIZADO AMERICANO

Historia

Estas dos razas son variedades autóctonas de pelo corto que muestran el efecto de un gen mutado por medios naturales que hasta la fecha solo se conoce en Estados Unidos. El rizado americano tiene unas orejas características dobladas; deformidades semejantes se aprecian en el Scottish Fold, pero en esta raza están caídas hacia delante.

El gato americano de pelo duro posee un pelaje singular, no muy diferente del Cornish y el Devon Rex. Sin embargo, los genes que provocan la particular forma de las orejas o la textura extraña del pelo son bastante diferentes de los casos de las variedades Scottish Fold y Rex.

Carácter y temperamento

Tanto el de pelo duro como el rizado tienen temperamento y carácter semejantes a otras variedades americanas de pelo corto (*véase* «Gatos de pelo corto británicos y americanos»). Los gatos de ambas variedades son amistosos, inteligentes, fuertes y adaptables, y sirven de excelentes animales de compañía.

Tipo y estándar de la raza

En general, ambas razas son de tamaño medio, con cabezas redondeadas, orejas medianas y bien separadas y hocicos bastante desarrollados, con bigotes característicos. No son tan fornidos ni tienen la cara tan corta como los americanos o británicos de pelo corto y, en general, tienden a ser más elegantes y gráciles, con una complexión comparable a la de los extranjeros de pelo corto.

◆ ARRIBA
*El gato americano
de pelo duro exhibe
un pelaje singular
no muy diferente del
apreciado en las razas
Devon y Cornish
Rex; se trata de una
variedad americana
no conocida en
el Reino Unido.*

GATOS ASIÁTICOS
(incluido el burmilla)

Historia

Esta raza ha sido el resultado de una moderna historia de amor, como Romeo y Julieta. Se creó por accidente, entre dos amantes que habían sido separados a la fuerza. Un chinchilla macho vivía en la misma casa que una gata de tipo burmés de color lila; de pequeños les gustaba jugar juntos, pero cuando la hembra empezó a mostrar signos de celo, se la aisló en el estudio hasta que pudiera concertarse una cita con un «pretendiente» burmés. Por desgracia –o por suerte, tanto para los gatos en cuestión como para quienes hoy admiran esta raza–, el cuidador dejó abierta la puerta del estudio y permitió, así, que el chinchilla pudiera encontrarse con su amada. Los cachorros que nacieron del encuentro eran tan atractivos que el dueño decidió que merecían un nombre especial, y los llamó «burmillas».

No hubo problema alguno para encontrar una buena casa para los cachorros mestizos; más aún, el interés mostrado por ellos superaba al de los burmeses de pura cepa, y pronto se repitieron estos cruces. Tal fue el principio de una raza hoy cada vez más popular, y la explicación de su curioso nombre.

Carácter y temperamento

El burmilla es un gato extrovertido, amistoso y sociable que ha heredado las características, ligeramente modificadas, de sus dos progenitores; no tan ruidoso o exigente como el burmés, es en cambio más aventurero y curioso que el chinchilla. A aquellas personas a las que les gusten los burmeses pero no soporten sus continuas exigencias de atención tal vez el burmilla sea una solución ideal de compromiso.

◆ ABAJO
Dentro del grupo asiático se distinguen muchos colores de gatos, donde el más conocido es el burmilla (DERECHA); *junto a él está su hermano de camada, un gato de color humo* (IZQUIERDA).

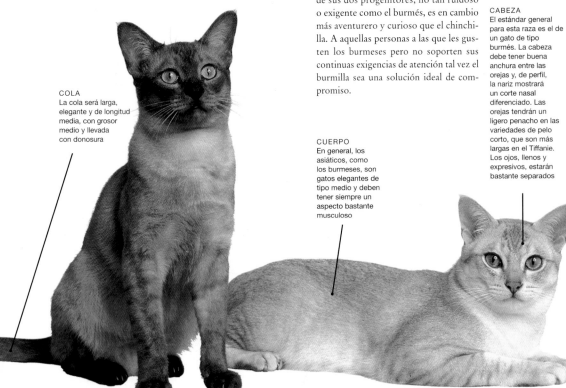

COLA
La cola será larga, elegante y de longitud media, con grosor medio y llevada con donosura

CUERPO
En general, los asiáticos, como los burmeses, son gatos elegantes de tipo medio y deben tener siempre un aspecto bastante musculoso

CABEZA
El estándar general para esta raza es el de un gato de tipo burmés. La cabeza debe tener buena anchura entre las orejas y, de perfil, la nariz mostrará un corte nasal diferenciado. Las orejas tendrán un ligero penacho en las variedades de pelo corto, que son más largas en el Tiffanie. Los ojos, llenos y expresivos, estarán bastante separados

Tipo y estándar de la raza

Se ha desarrollado un plan de cría para perpetuar la raza; se decidió que, en último término, el burmilla debía ser un gato de pelo corto de tipo burmés pero con ciertos rasgos del chinchilla; estos rasgos incluyen un dibujo de pelaje punteado, nariz rojo ladrillo contorneada en negro y marcas negras alrededor de los ojos que dan la impresión de que lleva puesta una máscara.

Para conservar el tipo, los burmillas de la primera generación se cruzaron con burmeses. Esta siguiente generación dio lugar a diferentes tipos de gatos relacionados con los burmillas, y en ese momento se decidió utilizar el término grupo asiá-

tico para todas las derivaciones genéticas asociadas a esta raza. En esta categoría se incluyen no solo los burmillas sombreados o punteados, sino también el de pelo corto uniforme, llamado bombay si es negro y asiático si es de otro color, la versión de pelo largo o Tiffanie y cuatro variedades de asiático atigrado: manchado, clásico, caballa (mackerel) y moteado.

En Estados Unidos, la denominación bombay se aplica a un burmés negro resultante de un cruce entre burmés y americano de pelo corto negro; el Tiffany (acabado en «y», y no en «ie») también se obtuvo de un cruce original entre un burmés y un gato de color uniforme de pelo largo.

◆ ABAJO
El asiático atigrado punteado muestra una marca distintiva en «M» encima de la frente.

◆ DERECHA
Uno de los cuatro burmillas originales, que resultó del apareamiento entre un macho chinchilla transido de amor y el objeto de su deseo, una hembra lila de tipo burmés. Aquel fue el inicio de un nuevo grupo de gatos.

◆ ABAJO
El Tiffanie (Tiffany, en Estados Unidos) es la variedad de pelo largo del asiático (en Estados Unidos, una versión de pelo largo del burmés).

BENGALÍ
(y gato leopardo)

Historia

El gato manchado ha sido siempre muy popular, probablemente porque sus marcas nos recuerdan a los felinos salvajes. La idea de tener un pequeño gato leopardo con el temperamento de un minino doméstico parece seductora, y por eso se decidió criar esta raza.

En Estados Unidos, a principio de los años sesenta, el primer apareamiento planificado tuvo lugar entre un gato doméstico de pelo corto y un leopardo asiático, pero hubo que aguardar los años ochenta para desarrollar un plan de cría estructurado. Aquello fue el principio de la raza que hoy llamamos bengalí. Un genetista estadounidense se interesó especialmente por estos cruces, ya que parecía que los gatos leopardo asiáticos no tenían el genoma de la leucemia felina en su estructura de ADN, por lo que eran inmunes a este virus. Ello hacía de los bengalíes una raza robusta.

Conforme se extendió su popularidad, estos gatos empezaron a verse en exposiciones y, en 1991, recibieron la catalogación de campeones otorgada por The Independent Cat Association (TICA) en Estados Unidos. En fechas más recientes fueron importados a otros países como el Reino Unido, donde se ha establecido un nuevo plan de cría.

Carácter y temperamento

Aunque se trata de una raza grande en términos comparativos, estos gatos son amigables, cariñosos, despiertos, curiosos e inteligentes. El bengalí apenas teme a los demás gatos o a cualquier otro animal, y es una mascota excelente.

Tipo y estándar de la raza

El aspecto general debe ser el de un gato grande, con un dibujo y un color del pelaje que recuerdan al del gato leopardo salvaje; igualmente importante es el temperamento, que debe ser dulce y amistoso. El gato ha de ser esbelto y muy musculado, con los cuartos traseros ligeramente más altos que los delanteros. El pelo, que debe-

ría estar punteado y mostrar un contraste diferenciado entre las manchas y el fondo, presenta una textura poco frecuente, más parecida a la piel del gato salvaje que al pelaje del gato doméstico. La cabeza es una cuña modificada, ancha y larga, con bigotes característicos, y las orejas son cortas, con separación media y una base ancha que termina en puntas redondeadas.

BOMBAY
(*véase* «Gatos asiáticos, incluido el burmilla»)

BURMILLA
(*véase* «Gatos asiáticos, incluido el burmilla»)

◆ IZQUIERDA
El bengalí, aunque muy popular en Estados Unidos desde hace años, es un recién llegado a suelo británico.

◆ ABAJO
El gato leopardo de las nieves es la versión en plata del bengalí.

EXÓTICOS DE PELO CORTO
(*véase* «Gatos de pelo largo
de tipo persa»)

MANX
(*véase* «Gatos de pelo corto británicos
y americanos»)

MAU EGIPCIO

Historia

El nombre de mau procede de la palabra egipcia que significa gato, y la raza consiste básicamente en una variedad moteada de un tipo siamés modificado. Aunque el GCCF en el Reino Unido ha estado utilizando esta denominación durante muchos años, hoy día esta raza se conoce como oriental atigrado moteado. En Estados Unidos se sigue llamando mau egipcio, ya que en este país se ha desarrollado con los años un tipo bastante diferente del siamés y los orientales.

Pese a su nombre evocador, los mau egipcios no son originarios de Egipto, sino que han sido criados en busca de un dibujo de pelaje que recuerde al de los felinos de aquella tierra en la Antigüedad. La raza fue desarrollada primero en Europa a mediados de los años cincuenta y luego exportada en esa misma década a Estados Unidos, donde alcanzó popularidad.

Carácter y temperamento

Como sucede con cualquier raza con antepasados siameses u orientales, el mau egipcio es un gato extrovertido, aventurero, inteligente y amistoso al que le gusta la compañía y que no quiere quedarse solo. Tan solo una advertencia: al ser su pelaje tan especial, estos gatos son objeto de robo con mayor frecuencia que otras variedades, y han de mantenerse bajo vigilancia cuando se les deja salir al exterior.

Tipo y estándar de la raza

El mau debe ser, por lo general, una variedad modificada de siamés. La cabeza tendrá forma de cuña redondeada y, de perfil, no será tan recta como en las variedades siamesa u orientales. La cola tendrá tamaño medio, estrechándose hacia la punta,

lejos de ser una cola siamesa en forma de «látigo», lo que se considera un defecto. Los ojos han de ser almendrados, ni demasiado orientales ni excesivamente redondos, y de un color verde claro. El pelaje se acepta en cinco colores: negro, humo, gris, bronce y plata.

✦ ARRIBA
El mau egipcio es una raza americana no muy distinta del oriental atigrado moteado del Reino Unido, aunque con un tipo oriental menos extremo.

✦ ARRIBA
El bobtail japonés, o gato «Mi-Ke», procede de Japón y se ha hecho muy popular en el continente americano, aunque no se conoce en el Reino Unido u otros países

BOBTAIL JAPONÉS

Historia

Aunque no es una variedad completamente carente de cola, como algunos Manx, este gato tiene una cola bastante corta. Procede de Japón, donde se le conoce como «Mi-Ke», y se considera un símbolo de amistad y hospitalidad. Los japoneses tienen a menudo gatos de cerámica del tipo Mi-Ke, con una pata levantada, como símbolo de bienvenida.

Carácter y temperamento

Esta es una raza de lo más amistosa, la mascota perfecta. Muestra una actitud dulce y es inteligente. Tiene muy buen trato con casi todos los demás animales, y le gusta la compañía del hombre.

Tipo y estándar de la raza

El bobtail japonés es un gato esbelto de tamaño medio que parece musculoso pese a su aspecto delicado. Normalmente, las patas traseras, como en el Manx, son más largas que las delanteras. La cola debe estar recta cuando el gato se muestra relajado, y el pelaje brillará para ofrecer un efecto parecido al de un caniche con el pelo bien cortado. Los ojos son grandes, ovalados y oblicuos, y la cabeza tiene forma similar al siamés, como un triángulo equilátero de las orejas a la nariz. En general negro, blanco y rojo, o pardo y blanco, también se aceptan otros muchos colores y dibujos.

KORAT

Historia

El korat es una de las razas más antiguas; procede de Tailandia, donde era conocido como gato sagrado, «Si-Sawat». Llegó a América a principios de 1950, y desde allí se trasladó al Reino Unido en 1972. El nombre tailandés de esta raza significa «buena suerte» y, en su propio país, los korat siempre han sido muy apreciados. Son una raza única en el sentido de que existen tan solo en su color azul original.

Carácter y temperamento

Esta raza es sosegada, dulce y cariñosa, con el más dócil de los temperamentos. Aunque pueda parecer plácida, es inteligente. A los korat no les gustan los ruidos o una familia bulliciosa, por lo que se adaptan mejor a las casas tranquilas.

Tipo y estándar de la raza

La característica más vistosa del korat es su cara dulce en forma de corazón con ojos redondos y brillantes de color verde o amarillo; la expresión del korat es muy característica. La cabeza debe mostrar un hocico suavemente en punta, y las orejas, de tamaño medio, están en la parte alta de la cabeza. De perfil, la nariz mostrará un leve corte nasal. El pelaje será corto, esbelto y pegado a la piel, de un color uniforme azul plateado en toda su extensión; visto de perfil, aparecerá un corte claro siguiendo la línea de la columna. En general, el korat es un gato de tamaño mediano, fuerte y musculoso.

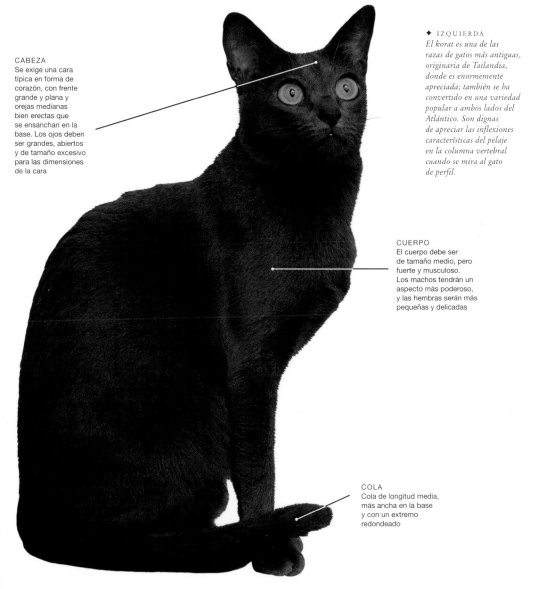

CABEZA
Se exige una cara típica en forma de corazón, con frente grande y plana y orejas medianas bien erectas que se ensanchan en la base. Los ojos deben ser grandes, abiertos y de tamaño excesivo para las dimensiones de la cara

◆ IZQUIERDA
El korat es una de las razas de gatos más antiguas, originaria de Tailandia, donde es enormemente apreciada; también se ha convertido en una variedad popular a ambos lados del Atlántico. Son dignas de apreciar las inflexiones características del pelaje en la columna vertebral cuando se mira al gato de perfil.

CUERPO
El cuerpo debe ser de tamaño medio, pero fuerte y musculoso. Los machos tendrán un aspecto más poderoso, y las hembras serán más pequeñas y delicadas

COLA
Cola de longitud media, más ancha en la base y con un extremo redondeado

OCICAT

Historia

El ocicat es otro caso de raza «fabricada» de gato moteado, una de las más populares; su nombre quiere recordar su parecido con los felinos llamados ocelotes.

En los sesenta, un criador estadounidense estaba intentando desarrollar siameses con rasgos abisinios, y para ello cruzó un siamés con un abisinio. Las primeras camadas producían efectivamente el modelo de siamés deseado, pero también contenían dibujos variados de gatos atigrados, entre ellos un cachorro moteado al que se llamó *Tonga*; este gatito suele reconocerse como el primer ocicat de la historia, aunque llegó como resultado imprevisto de otro programa de cría.

Tonga fue exhibido en público solo una vez, en 1965, pero a finales de los sesenta la raza fue cobrando popularidad cuando empezaron a verse cada vez más ocicats.

El título de campeón le fue otorgado en Estados Unidos en 1987 por la Cat Fanciers Association (CFA), y recientemente fue importado al Reino Unido.

Carácter y temperamento

Esta es otra raza genéticamente preparada que ha producido un aspecto de color y dibujo semejantes a los gatos salvajes. Sin embargo, en temperamento y actitud los ocicats no se diferencian de otros gatos domésticos, y son en general inteligentes y juguetones, como las demás razas citadas en esta sección.

Tipo y estándar de la raza

El ocicat es un gato de tipo medio que puede llegar a ser grande y con bastantes manchas. La cabeza tiene forma de cuña modificada, con un hocico ancho y un apunte de mentón cuadrado. De perfil no se aprecia corte nasal, aunque sí un suave ascenso desde el puente de la nariz hacia las cejas; la barbilla ha de ser fuerte y las mandíbulas firmes, sin signos de adentramiento o saliente alguno. Las orejas son bastante grandes y están bien separadas, ni muy altas ni demasiado bajas; es preferible, aunque no esencial, que acaben en penacho y, cuando este existe, se extiende en vertical desde las puntas. Los ojos han de ser grandes y almendrados, mostrando una buena profundidad de color, donde el azul no es aceptable.

◆ ARRIBA
La expresión típica de un «gato salvaje» parece contradecir el carácter suave y cariñoso del ocicat.

El ocicat puede criarse en diez colores principales, o en cualquiera de ellos punteados con plata. En general, el gato debe tener un aspecto elegante pero musculoso y, al cogerlo en brazos, pesará más de lo que parece.

REX

Historia

Tanto el Devon como el Cornish Rex son razas obtenidas por mutaciones naturales que aparecieron por vez primera en el Reino Unido a finales de 1950 y principios de 1960. Aunque ambos exhiben pelaje crespo, genéticamente son bastante distintos. El Cornish Rex apareció en una camada de cachorros nacida en una granja de Cornualles; el granjero consultó a su veterinario acerca de uno de los gatitos por lo curioso de su pelaje, y decidió aparearlo de nuevo con su madre para ver qué obtenía; los cachorros mostraron su mismo raro pelaje. Una década más tarde se observó en Devon un gato con un rizado similar del pelo, que fue el primer Devon Rex. Cuando se aparearon dos Devon, inicialmente la progenie no mostraba el pelo rizado, razón por la cual se constató que se trataba de una raza bastante diferente del Cornish. Este era mucho más grande, y se parecía a un gato de granja que se hubiera hecho la permanente; los Devon, en cambio, tenían un tamaño mucho menor, con ojos grandes y redondos que parecían desproporcionados con el resto del cuer-

po: si se hubieran descubierto en los años ochenta, probablemente se les hubiera llamado «gremlins».

Carácter y temperamento

Tanto los Cornish como los Devon Rex son animales vivos, inteligentes y activos. Les gusta la gente y sus familias, y sobre todo participar en las actividades de la casa. Pueden ser extraordinariamente traviesos, pues son razas con un profundo sentido del humor, esa especie de gatos a los que solo cabe adorar u odiar. Los Devon tienen a veces menos pelo, si bien ninguna de las

◆ ABAJO
Ejemplar adulto de Cornish Rex pardo azul; en esta raza se aceptan todos los colores del pelaje.

◆ ABAJO
Una camada de cachorros de Cornish Rex pardo azul y rojo, con su característico pelaje rizado.

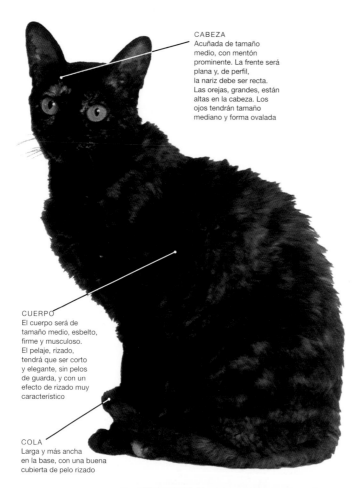

CABEZA
Acuñada de tamaño medio, con mentón prominente. La frente será plana y, de perfil, la nariz debe ser recta. Las orejas, grandes, están altas en la cabeza. Los ojos tendrán tamaño mediano y forma ovalada

CUERPO
El cuerpo será de tamaño medio, esbelto, firme y musculoso. El pelaje, rizado, tendrá que ser corto y elegante, sin pelos de guarda, y con un efecto de rizado muy característico

COLA
Larga y más ancha en la base, con una buena cubierta de pelo rizado

✦ ARRIBA
Un Cornish Rex que muestra un pelaje con la mezcla característica de esta raza.

✦ DERECHA
Un Cornish Si-Rex, como este ejemplar de puntas rojas, tiene el dibujo restringido del siamés, pero con un pelaje de tipo Rex; existe en tantas variedades de color como el siamés.

dos variedades presenta pelaje inferior, lo que indica que son particularmente apropiados para personas que sufran alergias de tipo asmático, ya que se les caen menos pelos.

El Cornish Rex atigrado muestra sombras más claras en el cuello, la tripa y la parte interior de las patas.

El pelaje principal del cuerpo transmite una sensación de rizado u ondulado.

También los bigotes están rizados, un canon exigido en los estándares.

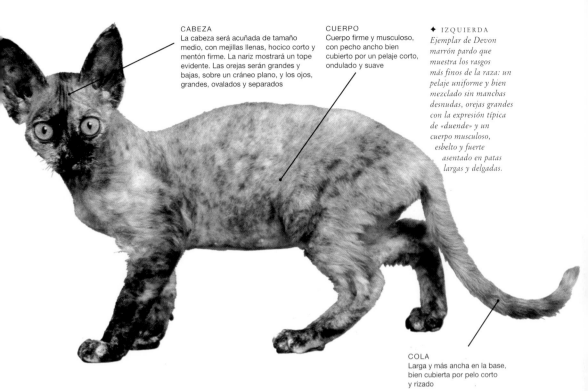

CABEZA
La cabeza será acuñada de tamaño medio, con mejillas llenas, hocico corto y mentón firme. La nariz mostrará un tope evidente. Las orejas serán grandes y bajas, sobre un cráneo plano, y los ojos, grandes, ovalados y separados

CUERPO
Cuerpo firme y musculoso, con pecho ancho bien cubierto por un pelaje corto, ondulado y suave

✦ IZQUIERDA
Ejemplar de Devon marrón pardo que muestra los rasgos más finos de la raza: un pelaje uniforme y bien mezclado sin manchas desnudas, orejas grandes con la expresión típica de «duende» y un cuerpo musculoso, esbelto y fuerte asentado en patas largas y delgadas.

COLA
Larga y más ancha en la base, bien cubierta por pelo corto y rizado

Tipo y estándar de la raza

El Cornish ha de ser alargado y elegante, aunque también firme y musculado. Tendrá patas largas, cabeza en forma de cuña y, de perfil, una nariz larga y recta. Los ojos serán ovalados y las orejas, grandes y separadas, semejantes a los siameses pero no tanto. El pelaje cubrirá todo el cuerpo, con un entremezclado peculiar. El Devon es además mucho más pequeño y con un pelo no tan abundante como el Cornish: es un gato de aspecto extraño, y no a todo el mundo le gusta. La cabeza es redonda, con un corte nasal definido de perfil y orejas grandes y singulares. Como el pelaje es más corto que el del Cornish, a veces parece incluso calvo. Tanto los Devon como los Cornish existen en una gran variedad de colores, dibujos y combinaciones.

RUSO AZUL

Historia

Esta es otra variedad de gato azul, aunque con un color y una textura bastante distintos de los británicos, los burmeses y los korat. Originario de Arcángel (Arjanguelsk), en Rusia, debe a esta ciudad otro nombre por el que se conoce, gato de Arcángel. Existen felinos con color del pelo parecido en el norte de Escandinavia, por lo que es posible que esta raza procediera de Rusia y viajara a Europa con los marineros y sus barcos.

Carácter y temperamento

Tranquilo, retraído y amable son adjetivos que resumen perfectamente las características de la raza. A los gatos rusos no les gustan las casas ruidosas, pues a menudo están ensimismados y pensativos; si apreciaran la música, preferirían a Mozart antes que a Wagner. Se apegan mucho a sus dueños, y no les importa estar encerrados en casa si cuentan con la compañía de su humano preferido.

Tipo y estándar de la raza

Los rusos deben ser gatos de pelo corto y gran tamaño; desprenden elegancia. Son enormemente gráciles, como bailarinas que parecen ir de puntillas cuando se mueven. El pelaje es inusual, como de felpa, con una capa doble típica, tal vez por la necesidad de estos gatos de mantenerse calientes durante los duros inviernos rusos. Recientemente han aparecido gatos rusos blancos, si bien no se ha considerado interesante seguir con ellos un programa de cría.

CABEZA
La cabeza es una cuña corta con bigotes típicos. Las orejas son grandes, erectas y en punta. La cabeza debe ser plana entre las orejas, y los ojos tienen forma almendrada y están separados

◆ DERECHA
El ruso azul es un gato elegante con patas largas y delgadas. Aunque se han visto ejemplares blancos y negros, hay poco interés en perpetuar estos colores, y el azul clásico sigue siendo el característico de esta raza.

CUERPO
El cuerpo es alargado y grácil, con patas largas. El pelaje es bastante característico y debe ser doble, grueso, corto y sedoso

COLA
Larga y más ancha en la base, aunque proporcionada al cuerpo

SCOTTISH FOLD

Historia

Aunque no reconocida en el Reino Unido, porque las orejas deformes se consideran un defecto inaceptable que tiene efectos negativos en la salud del gato, sí lo es en cambio en Estados Unidos, donde ha alcanzado bastante popularidad. Al igual que las variedades de Rex, esta raza procede de una mutación natural y, como su nombre indica, se vio por primera vez en Escocia.

Carácter y temperamento

Aunque tienen un aspecto un tanto extraño, los gatos Scottish Fold son dulces y amables, mansos con los niños y con otros gatos y animales. Aunque la forma de sus orejas podría hacer sospechar que padecen problemas de audición, en realidad no se conoce ningún caso.

Tipo y estándar de la raza

En su forma, el gato debe adscribirse al tipo británico medio, aunque con sus peculiares orejas, que están plegadas hacia delante y hacia abajo. El pelaje ha de ser denso y flexible, parecido al del Manx y otras razas de pelo corto procedentes del frío norte. Las orejas están bien separadas, por lo que la cabeza presenta una apariencia totalmente plana. Los ojos y el pelo pueden ser de cualquier color.

SINGAPUR

Historia

Esta raza debe su nombre al territorio de Singapur, donde se piensa que era un gato de los «desagües», que vivía en las alcantarillas. Tal explicación es aceptable a la vista de su pequeño tamaño con respecto a la mayor parte de los demás gatos extranjeros. Como Singapur era una colonia que acogía a muchos «expatriados» amantes de los gatos, estos diminutos felinos indíge-

nas conquistaron rápidamente sus corazones. Las pequeñas dimensiones del singapur pueden atribuirse al déficit de alimentación de sus ancestros, aunque en general es una raza robusta.

Carácter y temperamento

El pequeño tamaño de estos gatos está compensado por su carácter y su temperamento. Los singapur son gentiles, cariñosos y amables, aunque tal vez un tanto solemnes y reservados.

Tipo y estándar de la raza

El aspecto general es el de un gato pequeño, aunque más pesado de lo que parece. El pelaje atigrado punteado recuerda al abisinio. Las orejas serán grandes, ligeramente en punta y anchas en la base; los ojos son también grandes y almendrados, estrechándose en un hocico romo y con una nariz recta en perfil y una línea firme de la barbilla y la mandíbula.

◆ ARRIBA
El Scottish Fold, originario del Reino Unido, es hoy casi desconocido a este lado del Atlántico, mientras que ha ganado popularidad en América.

◆ IZQUIERDA
El singapur, conocido en Europa y en América pero solo recientemente importado al Reino Unido, procede de Singapur.

SNOWSHOE

Historia

A veces llamado birmano de pelo corto, el snowshoe no tiene vestigios de esta antigua y original raza de gatos. En realidad, es el resultado del cruce entre un siamés y un americano bicolor de pelo corto, portador del gen necesario para mostrar el típico dibujo blanco de las patas.

Carácter y temperamento

Esos gatos son de natural dulce y exhiben una forma modificada de la inteligencia del siamés cruzada con el carácter pacífico del americano de pelo corto, posiblemente la combinación perfecta para un animal de compañía.

Tipo y estándar de la raza

Es una raza bastante grande, con un pelaje corto que puede tener cualquiera de los colores aceptables para el siamés u otra raza con el factor himalayo. Los ojos serán siempre azules, grandes y almendrados. La cabeza debe ser acuñada y triangular, con perfil mostrando un claro corte nasal, aunque nunca de tipo siamés, lo que se considera un defecto grave. El hocico y las patas muestran un color blanco característico.

ESFINGE

Historia

Esta raza procede de una mutación natural, vista por primera vez en Canadá en 1966. Aunque existen noticias de gatos sin pelo en otras partes del mundo, la raza esfinge es la única que ha sido perpetuada, con la idea de establecer un programa de cría que prolongue la línea genética.

Carácter y temperamento

Los gatos esfinge muestran un carácter extrovertido, no muy distinto al de los Rex: ya que no tienen pelo, tendrán que buscarse otra forma de dar trabajo a sus dueños. Se trata sin duda de una raza que no deja indiferente, y no parece sufrir demasiado por el frío, aunque probablemente agradecerá algo de calor adicional.

Tipo y estándar de la raza

El rasgo más importante del gato esfinge es la falta total de pelo; una pelusa, por ligera que sea, se considera un defecto. Otros factores importantes son el color, la pigmentación y el dibujo de la piel. El cuerpo ha de ser duro y musculoso, con patas largas y finas y larga cola que se estrecha en la punta. La cabeza es más larga que ancha, con perfil liso y bigotes muy característicos.

El tonkinés es un cruce entre burmés y siamés, disponible en muchos colores como el azul (DERECHA), el lila (ARRIBA) y el chocolate (ABAJO).

TONKINÉS

Historia

El tonkinés es básicamente un cruce entre burmés y siamés, por lo que muestra algo de estas dos razas tan bien conocidas. Se obtuvo por medio de un programa de cría desarrollado en Norteamérica a finales de los años sesenta y principios de los setenta. Aunque aceptado en aquella zona en 1975, en Europa tiene aún un estado provisional.

Carácter y temperamento

Como los burmeses y los siameses, el tonkinés es un gato extrovertido, amigable y cariñoso que se entrometerá en todo.

Tipo y estándar de la raza

En complexión y tamaño, el tonkinés es una forma modificada de sus antepasados; no tan largo ni anguloso como el siamés, ni tan macizo como el burmés, es en realidad un cruce claro entre los dos. Recientemente, esta raza ha recibido una aceptación provisional en el Reino Unido por parte del GCCF.

BURMÉS

Aunque los burmeses son relativamente unos recién llegados a la moda de los gatos, se han convertido en una de las razas más apreciadas de todo el mundo. Se sabe de la existencia de gatos marrones en Extremo Oriente, en particular en Tailandia y Birmania, desde hace cientos de años; aunque, como sucede con tantos relatos de viajeros, la realidad y la ficción tienden a confundirse. Se dice que los burmeses eran los «gatos guardianes» de los templos de Birmania, pero esta distinción también la reclaman para sí los gatos birmanos.

Historia

El primer «burmés» visto en Occidente fue una hembra pequeña de color marrón llamada *Wong Mau*, que fue llevada a Estados Unidos desde Extremo Oriente en 1930. En aquel momento no había ningún macho de su raza con el que aparearla, así que se decidió que su pareja sería de la raza que más se le pareciera, un siamés de puntas foca. Los cachorros de esta camada eran híbridos, cercanos a los que hoy llamamos tonkineses. Genéticamente, es más que probable que la propia *Wong Mau* fuera una variante oscura de un tonkinés, ya que cuando volvió a aparearse, esta vez con uno de sus hijos, la progenie incluyó gatos marrones como ella misma. Aquellos cachorros se consideran los primeros gatos burmeses verdaderos.

Hubo que esperar a 1948 para que los burmeses pudieran atravesar el Atlántico. Estos gatos no tienen el atractivo y lustre que, como en los siameses, nos hace ser conscientes al instante de su pedigrí; sin embargo, su inteligencia y carácter, combinados con un temperamento maravilloso, les han hecho ganarse una enorme popularidad. También ofrecen la ventaja de no tener voces tan agudas como los siameses.

Conforme crecía su popularidad y se criaban más y más cachorros de burmés se produjo una gran sorpresa. En 1955 apareció en una camada un gatito gris plateado. Era el primer burmés azul que, muy oportunamente, recibió el nombre de *Sealcoat Blue Surprise* (Pelaje de Foca Azul Sorpresa). Este hecho demostró que los burmeses tienen una configuración genética semejante a los siameses: los burmeses marrones son genéticamente equivalentes a los siameses de puntas foca, y los burmeses azules se equiparan con los siameses de puntas azules. Aquello no fue sino el principio. En Estados Unidos se había observado una versión diluida del burmés marrón, que hoy se llama champán, y una versión mucho más clara del azul que dio en denominarse platino. Estos colores se corresponden con los siameses de puntas chocolate y lila, y en el Reino Unido se llaman, de hecho, burmeses chocolate y lila.

Una vez comprendida la genética básica de los burmeses, se abrió todo un abanico de posibilidades de color. Si los criadores habían logrado introducir los tonos cromáticos ligados al sexo en los siameses (rojo, crema y pardo), ¿por qué no producirlos también con los burmeses? Para iniciar este programa se lanzó un plan de cría con la colaboración de varios criadores y con la ayuda del Burmese Cat Club británico, a raíz del cual hoy tenemos gatos burmeses en diez colores distintos, todos los cuales tienen la salud, el nervio, el tipo y el temperamento de la original «gatita marrón» como fue llamada, cariñosamente, *Wong Mau*, aquella que llegó a Estados Unidos hace sesenta años.

Los burmeses se conocen hoy en los siguientes colores, aunque con distintos nombres en el Reino Unido y Estados Unidos: marrón (Estados Unidos, sable); azul; chocolate (Estados Unidos, champán); lila (Estados Unidos, platino); rojo; crema; marrón pardo; azul pardo; chocolate pardo, y lila pardo. En algunos clubes felinos estadounidenses, los burmeses que no son marrones, chocolate o lila se llaman malayos; en otros, no se reconocen los colores ligados al gen determinante del sexo.

Carácter y temperamento

Esta es una raza encantadora, pero no apta probablemente para personas pusilánimes. El burmés demuestra tener una personalidad muy extrovertida y, en el pasado, se le llamó «gato perro» por su habilidad para recuperar objetos y por su lealtad hacia sus dueños. Con un maullido más suave que el siamés, comparte con este muchos aspectos de carácter. A los burmeses no les gusta quedarse solos durante largo tiempo, pero su compañía no tiene por qué ser humana. Otro gato, o incluso un perro, le servirá de entretenimiento durante el día cuando usted esté en el trabajo. Nadie puede negar que el burmés es una raza exigente que no tolera quedarse fuera del trasiego de la casa, pues le gusta que se le considere parte de la familia.

◆ ARRIBA
Ejemplo espléndido
de un burmés
chocolate, que
muestra los ojos
dorados correctos
y un color chocolate
del pelaje uniforme
y cálido.

Tipo y estándar
de la raza

El tipo y la complexión corporal del burmés son los mismos para cualquiera de
sus variedades. Los burmeses son gatos
de tamaño medio, robustos y musculosos; nunca llegan a ser tan grandes ni a tener huesos tan pesados como los británicos, ni son tan alargados y esbeltos como
los siameses. La cabeza debe tener una parte superior bien redondeada, tanto de perfil como de frente, con orejas separadas de
tamaño mediano. La nariz mostrará un
«corte» distintivo, y el mentón será fuerte
y firme. Los ojos tendrán forma almendrada y el color, para alcanzar la perfección,
será de un tono amarillo dorado, aunque

en el Reino Unido se acepta un amarillo
verdoso pálido en ejemplares especialmente sobresalientes. Un burmés típico
adecuado a los cánones tendrá el típico aspecto «perverso» del burmés.

La cola será proporcionada al cuerpo.
Como orientación, debe llegar al omóplato del gato. No existirán defectos ni en-
roscamientos visibles.

El pelaje será corto, pegado al cuerpo y
de color claro. En los burmeses chocolate
y lila se aceptan tonos un poco más oscuros, pero es preferible que el pelo tenga un
matiz uniforme. En los cachorros se admiten unas ligeras barras en las patas, pero en
los gatos adultos estas marcas se consideran un defecto grave.

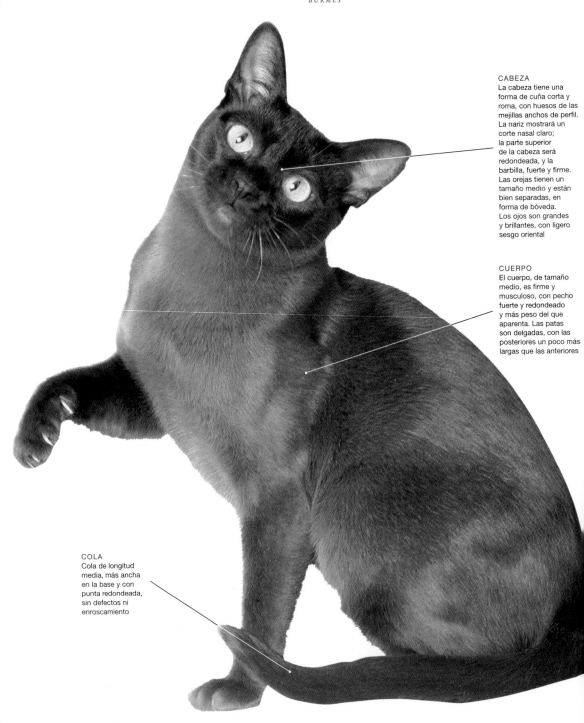

CABEZA
La cabeza tiene una
forma de cuña corta y
roma, con huesos de las
mejillas anchos de perfil.
La nariz mostrará un
corte nasal claro;
la parte superior
de la cabeza será
redondeada, y la
barbilla, fuerte y firme.
Las orejas tienen un
tamaño medio y están
bien separadas, en
forma de bóveda.
Los ojos son grandes
y brillantes, con ligero
sesgo oriental

CUERPO
El cuerpo, de tamaño
medio, es firme y
musculoso, con pecho
fuerte y redondeado
y más peso del que
aparenta. Las patas
son delgadas, con las
posteriores un poco más
largas que las anteriores

COLA
Cola de longitud
media, más ancha
en la base y con
punta redondeada,
sin defectos ni
enroscamiento

Colores del pelaje

Marrón

(ESTADOS UNIDOS, SABLE)

Los burmeses marrones deben mostrar un tono marrón intenso, uniforme y cálido, sin barras o franjas visibles en estado adulto; en los cachorros se admiten unas débiles marcas «fantasmas». El pelo puede tener sombras ligeramente más claras en las partes inferiores. La punta de la nariz y las zarpas serán de color marrón oscuro.

Azul

La mejor forma de describir el color de un burmés azul es gris plateado claro, aunque con una ligera variación de sombras hacia un matiz más claro en las partes inferiores. Las zarpas y la punta de la nariz han de ser grises.

Chocolate

(ESTADOS UNIDOS, CHAMPÁN)

El color que justifica este nombre es un tono chocolate con leche cálido, si bien la cara, las patas y la cola pueden ser algo más oscuras (nunca tanto como en un burmés marrón). La punta de la nariz y las zarpas tendrán un color marrón chocolate.

◆ PÁGINA ANTERIOR
El burmés marrón es el más antiguo de los diez colores disponibles, y sigue siendo uno de los más populares; el pelo de este gato es el típico de la raza y el color, y exhibe un lustre brillante adecuado.

◆ ABAJO
El estándar requerido para el burmés es distinto en el Reino Unido y en Estados Unidos. El burmés de tipo americano, tal como se aprecia en este ejemplar marrón, exige una cara mucho más corta, con ojos más redondos y un aspecto general más fornido que el inglés.

◆ ARRIBA
Cachorro de burmés azul con el color gris plateado correcto del pelaje y un brillo plateado alrededor de la cara y las orejas.

Lila
(Estados Unidos, platino)

El burmés lila tiene el color más atractivo, que debería ser de un gris paloma con ligero tinte rosado para que sea perfecto. Como sucede con el otro color diluido, el chocolate, se acepta que las extremidades sean ligeramente más oscuras. La punta de la nariz y las zarpas deben ser de un rosa lavanda.

Rojo

El burmés rojo es más bien «mandarina»; sin embargo, el color no debe ser demasiado vivo y, ciertamente, no tan frío como para que se confunda con un burmés crema. La punta de la nariz y las zarpas serán rosas.

◆ DERECHA
Un burmés rojo adulto, que muestra el color mandarina correcto.

◆ ABAJO
El color del pelaje es más claro en los cachorros y los adultos jóvenes, como se aprecia en esta pareja de hermanos rojo (IZQUIERDA) *y chocolate* (DERECHA).

◆ DERECHA
Este macho adulto de
burmés lila muestra el
tinte rosado correcto
sobre el pelaje lila,
y el aspecto barbado
típico del macho.

◆ IZQUIERDA
*El burmés crema
debe tener un rico
color crema, con
efecto «espolvoreado»
distintivo alrededor
de la cara, las orejas
y las patas, como si
se hubiera salpicado
ligeramente al gato
con polvos de talco.*

Crema

El burmés crema tiene un color crema manchado claro, con efecto distintivo de «espolvoreado» en las orejas y la cabeza, como si se le hubiera salpicado ligeramente con polvos de talco. Al igual que el burmés rojo, debe tener la punta de la nariz y las zarpas de un tono rosa pálido.

Marrón pardo

Este color exige una combinación entremezclada de marrón, rojo y crema, con zarpas y punta de la nariz mezcla de marrón o rosa, o ambos.

Azul pardo

Antes llamada azul crema, que describe perfectamente el color necesario, es una variedad combinada de azul y crema. Las zarpas y la punta de la nariz serán iguales, también una mezcla de azul y crema.

✦ ABAJO
Ejemplar de burmés azul pardo que muestra el pelaje correcto: una mezcla de azul y crema.

✦ ARRIBA
El burmés pardo, como este marrón pardo, es uno de los colores más recientes; se logró mediante un programa de cría diseñado para producir burmeses crema y rojo, realizado por criadores británicos a mediados de 1960.

Chocolate pardo

El color del pelo debe ser una combinación bien entremezclada de chocolate y
crema, con la punta de la nariz y las zarpas
del mismo color.

Lila pardo

Pelaje lila y crema, con zarpas y punta de la
nariz de color gris paloma.

VENTAJAS

• Muy cariñoso.
• Fácil de cepillar.
• Manso con los niños y otros anima-
les; no tiene problemas en casas rui-
dosas.
• Buen compañero y respetuoso con el
humor y los sentimientos de su dueño.
• Juguetón.

INCONVENIENTES

• No le gusta quedarse solo sin un
compañero.
• Exigente: requiere mucho tiempo y
atención.
• Probablemente, el mejor de los esca-
pistas desde Houdini. Téngalo encerrado, si le es posible.
• Demasiado confiado y, si no se le prepara, corre el riesgo alto de ser robado.

✦ ARRIBA
*Un gran campeón
burmés chocolate
pardo, que exhibe un
tipo y un color del
pelaje excelentes.*

✦ DERECHA
*De perfil, la cabeza
del burmés muestra
un claro corte nasal,
con mandíbulas
y mentón fuertes, y
la parte superior
de la cabeza debe
exhibir una bóveda
bien redondeada;
esta variedad
chocolate pardo
reúne hermosamente
todos los estándares.*

◆ DERECHA
El burmés lila pardo contiene una mezcla de lila y crema; observe que incluso la punta de la nariz muestra marcas de color pardo.

SIAMÉS

El siamés es una de las razas de gatos con pedigrí más antiguas que existen, y con el paso de los años se han contado muchas historias sobre él, en su mayoría fábulas fantasiosas, aunque tal vez hay una parte de verdad. Ciertamente, estas historias añaden encanto a esta raza oriental, exótica y de expresión inescrutable.

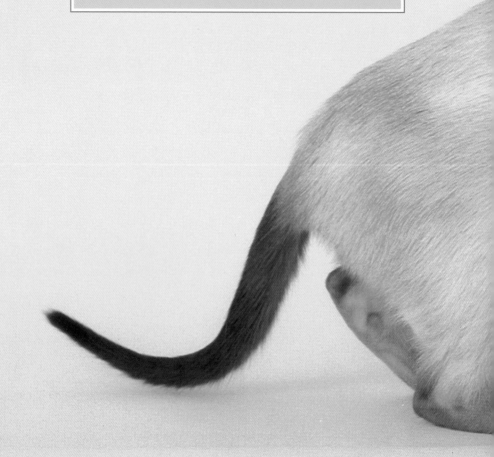

Historia

De todas las variedades con pedigrí, la siamesa es la más reconocible a primera vista.
Largo, ágil y elegante, con «puntas» oscuras distintivas, un gato siamés luce siempre
un aspecto imponente.

Los primeros siameses solían tener ojos
bizcos y colas enroscadas, características
que hoy se consideran defectos graves,
pero con una cría cuidadosa y selectiva estos problemas prácticamente se han elimi-
nado en los gatos modernos. Con todo, en
su tiempo fueron tan corrientes que se in-
ventaron fábulas que «explicaban» cómo
se adquirieron.

Se dice que los siameses fueron anti-
guamente guardianes de los templos bu-
distas. Un día, desapareció una valiosa
copa y se encargó a una pareja de gatos que
buscaran el tesoro robado. Después de un
largo viaje, encontraron la copa, y la gata
se quedó custodiándola mientras su compañero iba a transmitir la buena nueva. Ella
estaba tan preocupada por si la copa volvía
a desaparecer que enroscó su cola alrededor del valioso objeto y se quedó mirán-
dola con los ojos fijos. Estuvo así contem-
plando la copa durante varios días y sus
noches, sin apartar la mirada en ningún
momento, y cuando volvió su compa-

ñero, se había quedado bizca. Después,
tuvo una camada de cachorros, todos bizcos y con las colas rizadas como recuerdo
de la vela del tesoro perdido.

Otro cuento relata que una princesa
siamesa, temiendo que le robaran sus anillos, los confió a la custodia de su gato siamés; se los colocó en la cola para que los
guardara por las noches. En una de estas
vigilias el gato se quedó dormido, y los anillos se deslizaron por su cola delgada y se
perdieron para siempre. La princesa decidió hacerle un nudo para que esta desgracia no volviera a suceder; y esa podría ser

Los siameses son gatos alargados, ligeros y elegantes, de complexión media, aunque en Estados Unidos (ARRIBA) responden a un estándar ligeramente diferente del requerido en el Reino Unido (IZQUIERDA); las orejas son más grandes y más rectas. Sin embargo, deben mostrar, como estos dos siameses punta de foca, un color del pelaje más claro, con «puntas» coloreadas bien definidas sea cual sea el lado del Atlántico del que provengan.

otra razón del enroscamiento de la cola del siamés.

Los cachorros siameses han sido siempre muy apreciados. En tiempos se consideraba un honor que cualquier extranjero recibiera como presente uno de los Gatos Reales de Siam, y robar un felino de la corte real de aquel territorio se consideraba un delito castigado con la muerte, como también lo era llevarse alguno fuera de Siam. Pero, al final, estos animales terminaron por llegar a Occidente donde, después de numerosas generaciones de cría selectiva, hoy día se cuentan, junto con los persas y los burmeses, entre las razas conocidas más populares.

Los siameses tenían originariamente un color lechoso claro, con puntas foca en las zarpas, la cara, las orejas y la cola. Esta estampa es conocida desde hace más de doscientos años. A finales del siglo XIX se registró la existencia de un ejemplar de puntas azules en el Reino Unido, pero es probable que este color recesivo ya existiera desde tiempo antes. Tal vez en Siam no se apreciara tanto y se «guardara debajo de la alfombra», dado que la variedad de puntas foca era mucho más valorada. Con el paso del tiempo, los criadores se

han esforzado por conseguir otras variedades de color en los siameses, cuyos nombres cambian del Reino Unido a Estados Unidos. Hoy existen, además de los puntas azules y foca, variedades de color chocolate y lila (en Estados Unidos, puntas heladas), además de puntas rojas, crema, pardo y atigradas (en Estados Unidos, gatos de pelo corto de puntas coloreadas).

Carácter y temperamento

Los siameses son animales típicos del grupo de gatos orientales y, como sus parientes cercanos los burmeses, conforman una raza ruidosa con personalidad muy extrovertida. Son de esa clase de gatos a los que se ama o se odia; bulliciosos y exigentes, necesitan verdaderamente formar parte de la familia. Para sus admiradores no hay ninguna raza mejor, y en modo alguno querrían cambiarlos. A los siameses no les gusta quedarse solos en casa, por lo que aquellas personas que se pasen trabajando todo el día y no quieran tener más de un gato deberían elegir otra opción. En cambio, si lo que buscan es un animal de compañía que se les entregue en cuerpo y alma, no encontrarán ninguno mejor que un gato siamés.

Tipo y estándar de la raza

Con independencia del color del pelaje, el tipo del gato deberá ser siempre el mismo, si bien el estándar varía ligeramente entre el exigido por el GCCF británico y los clubes felinos de Estados Unidos.

En general, el siamés debe ser un gato de tamaño mediano, alargado, esbelto, ágil y elegante, pero con un aspecto musculoso. Pese a su ligera estructura ósea (comparada con las complexiones más macizas de los gatos británicos de pelo corto), en realidad es más robusto y pesado de lo que aparenta. Por el contrario, no debe tener un sobrepeso evidente, ni en ningún modo llegar al extremo de parecer gordo, por más que algunos gatos esterilizados muestren tendencia a la obesidad y haya que vigilar estrechamente su dieta.

Mirando al gato de frente, la cabeza debe tener aspecto triangular, rematada por unas orejas grandes y bien separadas, en una figura que se estrecha hacia el hocico en punta. De perfil, la nariz será recta sin ningún indicio de corte o tope nasal. La mandíbula debe ser firme, sin mordida inferior ni superior, y los ojos almendrados con el típico sesgo oriental que le dota de esa expresión inescrutable característica, sin recuerdos de su estrabismo original. Para todos los colores del pelo, los ojos serán siempre de un azul zafiro intenso. La cola ha de ser larga, delgada y más ancha en la base, donde cualquier enroscamiento o deformación se considera un grave defecto. Además, estará proporcionada con las dimensiones del gato; en una orientación aproximada, debe llegar como mucho a la altura del omóplato del animal.

La calidad de la textura y el dibujo restrictivo del pelaje son rasgos que hacen del siamés un gato diferente de otras variedades de pelo corto. El pelo ha de ser corto, elegante y de textura fina, muy poco despegado del cuerpo. Las puntas coloreadas se apreciarán únicamente en la zona de la máscara facial, las orejas, las patas y la cola. Se considera un defecto el hecho de que los gatos presenten colores más claros en estas áreas, en especial alrededor de los ojos, en un efecto llamado de «anteojos». Análogamente, también se desaprueba la presencia de sombras oscuras en zonas más claras del cuerpo.

El dibujo del pelaje siamés está limitado a las partes más frías del cuerpo y, por lo tanto, si se somete al animal a una operación, por ejemplo la esterilización en una hembra, es bastante probable que el *shock* postoperatorio provoque un oscurecimiento temporal de dicha zona. Por la misma razón, los siameses que viven en climas cálidos suelen tener pelajes más claros que los de las regiones más frías. Las zonas punteadas deben mostrar en todo caso un color uniforme, sin barras ni bandas, excepto en el caso de las variedades de puntas atigradas, donde se exigen anillos o franjas, y las pardas, que deben tener un pelaje bien mezclado.

COLORES DEL PELAJE

Puntas foca

Color claro, incluso crema, con puntas foca evidentes limitadas a la cara, las orejas, las patas y la cola. La punta de la nariz y las zarpas deben tener un color foca también bastante visible.

◆ ABAJO
La cabeza del siamés, vista de frente, debe formar un triángulo desde las puntas estiradas de las orejas a la parte saliente del hocico.

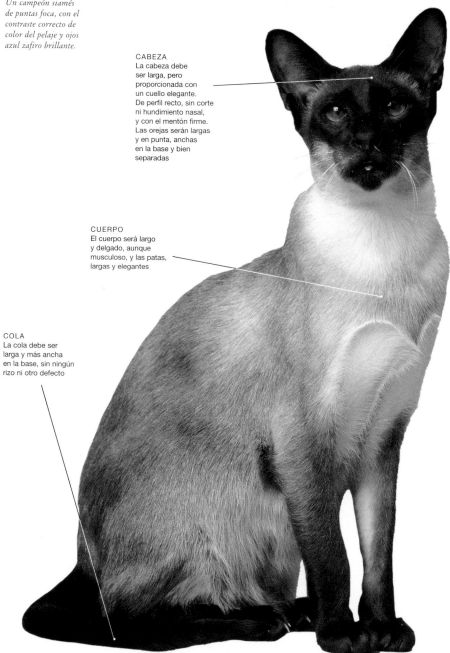

◆ ABAJO
Un campeón siamés
de puntas foca, con el
contraste correcto de
color del pelaje y ojos
azul zafiro brillante.

CABEZA
La cabeza debe
ser larga, pero
proporcionada con
un cuello elegante.
De perfil recto, sin corte
ni hundimiento nasal,
y con el mentón firme.
Las orejas serán largas
y en punta, anchas
en la base y bien
separadas

CUERPO
El cuerpo será largo
y delgado, aunque
musculoso, y las patas,
largas y elegantes

COLA
La cola debe ser
larga y más ancha
en la base, sin ningún
rizo ni otro defecto

VENTAJAS

- Muy sociable (aunque espera de sus dueños que le presten toda su atención).
- Inteligente.
- Fácil de cepillar.
- Es casi tan leal como un perro (aunque tiende a ser un gato de «una sola persona»).

INCONVENIENTES

- Suele tener un maullido agudo y acostumbra a usarlo aunque no haya sido invitado a participar en la conversación.
- Es a menudo celoso de su territorio y puede no adaptarse a otras razas menos dominantes, como los gatos de pelo largo y los británicos de pelo corto (por lo general, se acopla bien con otros orientales y burmeses).
- Debido a su evidente pedigrí, es más probable que sea objeto de robos que otras muchas razas.

El siamés siempre será un gato alto y elegante, como ilustran bien estos ejemplares de puntas azules (IZQUIERDA) y puntas lila (DERECHA).

Puntas azules

El color preferido del cuerpo es blanco
glacial, frío, sin signos de tintes crema.
Las puntas han de ser de un tono azul pizarra, con punta de la nariz y zarpas del
mismo color.

Puntas chocolate

El cuerpo debe ser marfil claro, con puntas, nariz y zarpas de un chocolate con
leche claro.

Puntas lila

(ESTADOS UNIDOS, PUNTAS HELADAS)
El color del cuerpo será blanco glacial,
con puntas con un tinte rosado claro. Las
zarpas y la nariz serán rosa lavanda.

◆ ARRIBA
*Este siamés de puntas
azules tiene una
cabeza espléndida,
bello color de ojos
y lustre correcto
en el pelaje.*

✦ ABAJO
*El siamés de puntas
crema tiene puntas
de este color sobre
un fondo de blanco
sombreado con crema
claro en el lomo
y los costados.*

✦ DERECHA
*El siamés de puntas
rojas tiene pelaje
blanco, con sombras
de color albaricoque
claro en el lomo y los
costados, y puntas de
color dorado rojizo
brillante.*

Puntas rojas
(ESTADOS UNIDOS, PELO CORTO
DE PUNTAS COLOREADAS ROJAS)
Lo ideal es un cuerpo blanco claro con
puntas coloreadas de color albaricoque
intenso. La punta de la nariz y las zarpas
deben ser de un rosa carne.

Puntas crema
(ESTADOS UNIDOS, PELO CORTO
DE PUNTAS COLOREADAS CREMA)

El cuerpo será blanco claro, con puntas crema rosadas de tonos claros, y este mismo color para la punta de la nariz y las zarpas.

Puntas atigradas
(ESTADOS UNIDOS, PUNTAS DE LINCE)
Puntas pardo y puntas pardo atigrado
(ESTADOS UNIDOS, PUNTAS TORBIE)

Estas variedades existen en una gama amplia de colores. El tono del cuerpo será el mismo recomendado para colores lisos, con la punta de la nariz y las zarpas de un color similar. En los pardo, los colores deben estar bien mezclados, y los de puntas atigradas conforman la única variedad de pardo que admite franjas en las zonas punteadas.

✦ DERECHA
Este campeón de puntas atigradas exhibe unas patas largas y elegantes, un buen perfil y un pelaje correcto con marcas atigradas claramente visibles en la cara, las orejas, las patas y la cola.

✦ ARRIBA
El siamés de puntas pardo, al igual que con todos los demás pardos, es predominantemente una variedad de hembras; en el siamés, las marcas pardas deben limitarse a las puntas, tal y como se muestra aquí.

*Un balinés de puntas
atigradas y color
chocolate, típico
de la raza con su
pelaje largo y sedoso,
sus ojos azules y su
cola plumosa.*

BALINÉS

Los balineses son, en esencia, una versión de pelo largo de los siameses y, en cuanto a tipo se refiere, deben adecuarse al estándar establecido para estos. Su temperamento y su carácter están ligeramente modificados, probablemente debido a la introducción del gen de pelo largo, por lo que suelen ser más tranquilos y menos revoltosos. Pero la principal diferencia reside en que, debido a su largo pelaje, exigen más tiempo de atención y cepillado.

Esta variedad de pelo largo se vio por primera vez en una camada de gatitos en Estados Unidos. Fueron tan bien recibidos que se decidió iniciar un plan de cría de dos siameses de pelo largo para ver si podían aparearse, una prueba que se saldó con éxito; todos los gatitos obtenidos tenían pelo largo. La idea de un siamés de pelo largo y sedoso ganó popularidad, y los criadores se sintieron estimulados a seguir con el programa de cría. En 1963, los gatos obtuvieron el reconocimiento oficial en Estados Unidos. En el Reino Unido, en cambio, las cosas se mueven despacio, y hubo que aguardar a 1980 para que se les otorgara un reconocimiento previo, mientras que el grado de campeón les fue concedido unos años más tarde.

Los balineses se admiten en todos los colores y variantes de dibujo que se aceptan en los siameses.

El balinés, al igual que los siameses, debe exhibir puntas coloreadas tan solo en la zona de la máscara facial, las orejas, las patas y la cola, tal como ilustran este cachorro azul de puntas atigradas (IZQUIERDA) y este semental adulto (ABAJO).

GATOS SIN PEDIGRÍ

A menudo se dice que los gatos más bellos que pueden apreciarse en las exposiciones felinas están en la sección sin pedigrí, donde se exhiben animales con toda clase de colores, dibujos, tipos y longitudes del pelo. Mucha gente se complace en exhibir a sus animales rescatados del abandono; estas hermosas criaturas han vivido a menudo una infancia de privaciones y su exhibición en un estado magnífico, sanos y con el pelaje reluciente, sus rasgos acentuados con cintas y escarapelas, dan a sus dueños el crédito que merecen.

Algunos gatos sin pedigrí tienen ancestros conocidos; otros cuentan con alguno de los padres o los abuelos de raza, pero la mayoría son animales desamparados, rescatados de alguna protectora de animales y sin padres conocidos. Aun así, todos son acreedores del mismo cuidado e idéntico cariño.

Cuando se elige un gato o un cachorro sin pedigrí deben tenerse en cuenta las mismas cuestiones que si el felino es de raza. No se decida por un ejemplar de pelo largo si no tiene tiempo para cepillárselo y, por ejemplo, si sabe que el gato tiene algo de siamés u oriental piense que mostrará alguno de los rasgos típicos de este grupo: son muy exigentes y maúllan a menudo ruidosamente. En los cachorros sin pedi-

✦ ARRIBA
Este gato pardo atigrado bien cuidado muestra orgulloso la belleza de sus marcas.

✦ IZQUIERDA
Esta gata pardo y blanco con marcas exquisitas tiene parte de pedigrí. Su madre es una gata oriental de raza (el padre es desconocido), y por ello ha heredado las características delicadas y volubles típicas de la raza oriental.

✦ ABAJO
Un gato corriente típico, amable y con un hermoso pelaje bicolor gris y blanco.

◆ DERECHA
Este precioso gato plateado es difícil de distinguir de ciertas variedades de pelo corto con pedigrí.

gří es imposible saber qué tamaño tendrán de adultos; al menos, cabe el consuelo de que los gatos no tienen dimensiones tan diversas como los perros, y es poco probable que nos invadan la casa.

◆ ABAJO
Cuando lo encontraron, abandonado, sucio y sarnoso, los dueños no tenían idea del color que tendría este precioso gato, que resultó ser un ejemplar de pelo largo rojo al que dedicaron todo su cariño para que creciera limpio y sano. Ahora se ha convertido en un magnífico ejemplar de gato sin pedigrí.

VENTAJAS

• A menudo mucho más baratos que los gatos con pedigrí, o incluso se pueden conseguir sin coste alguno.
• Muchas exposiciones de gatos ofrecen una sección para los animales sin pedigrí; así que si le gusta asistir a estos eventos puede llevarse a su gato consigo.
• Disponibles en casi cualquier color, dibujo y longitud del pelo.
• En general, bastante saludables y no demasiado exigentes con la comida.
• Recibirá de ellos tanto cariño y alegrías como de un gato de raza, y posiblemente todavía más.

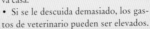
INCONVENIENTES

◆ ABAJO A
LA DERECHA
Estos cachorros son de la misma camada, aunque muestran marcas diferentes. Cuando no se conoce a los padres es difícil saber el tamaño y temperamento que tendrán estos gatos de adultos.

• Si no conoce a sus padres, no sabrá, cuándo son cachorros o cuáles pueden ser sus tendencias de tipo, temperamento y tamaño.
• Un gato adulto puede necesitar un cierto tiempo para aclimatarse a su nueva casa.
• Si se le descuida demasiado, los gastos de veterinario pueden ser elevados.

EXPOSICIONES DE GATOS

La primera exposición oficial celebrada especialmente para gatos de raza se celebró el 17 de julio de 1871. Fue organizada por Harrison Weir, fundador del National Cat Club del Reino Unido, y tuvo lugar en el Crystal Palace de Londres. Allí se exhibieron 160 ejemplares, todos ellos juzgados con arreglo a un canon determinado que se llamó «estándar de la exposición» (lo que hoy llamamos «estándar de la raza»). Aunque los «estándares» necesarios para las diversas razas de gatos han experimentado cambios sustanciales con el paso de los años, el formato general de las exposiciones felinas sigue basándose todavía en las ideas de Weir.

En sus orígenes, el National Cat Club fue fundado en el Reino Unido como un organismo administrativo cuya función sería gobernar y legislar el manejo de todos los gatos de raza y su progenie. Hoy en día, este club sigue organizando la exposición felina más importante del mundo, pero la administración del pedigrí de los gatos en el Reino Unido ha pasado a ser responsabilidad del Governing Council of the Cat Fancy (GCCF).

Según se fue extendiendo la moda de los gatos de raza se fundaron cada vez más clubes especializados y exposiciones felinas. Durante la Segunda Guerra Mundial, estas actividades se interrumpieron temporalmente y, aunque el GCCF las recuperó más tarde, en ese período algunas razas estuvieron cerca de la extinción. Por suerte, la dedicación de los criadores y los amantes de los gatos garantizó la continuidad de las líneas de cría de estos ejemplares de raza para disfrute de las generaciones presentes y futuras.

Desde 1990 existen clubes felinos en los cuatro confines del mundo: Norteamérica, Sudáfrica, Australia, Nueva Ze-

landa, Europa, Sudamérica y Singapur, por citar solo algunos. Casi todos los países guardan un sitio en su corazón para el gato doméstico, aunque más bien para el que tiene padres reconocidos, pues a menudo se olvida a los humildes gatos de la calle.

En todo el mundo, las exposiciones felinas se basan en el principio de comparar al gato con un estándar de la raza predeterminado. Lo único que cambia de unas a otras es la forma en que se compone el jurado y la organización de la muestra.

EXPOSICIONES EN EL REINO UNIDO

La mayoría de las exposiciones del Reino Unido cumplen las normas dictadas por el GCCF. También existen algunas ferias organizadas por otro grupo, la Cat Association of Britain (CAB, Asociación Británica de Gatos), adscrito a la Fédération Internationale Féline (FIFe), que se realizan conforme a los cánones europeos (*véase* «Exposiciones en Europa»). Sin embargo, en su mayoría están conformes con las directrices del GCCF y sus clubes afiliados. Se celebran exposiciones durante todo

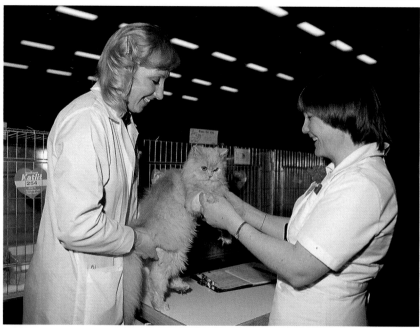

✦ IZQUIERDA
En el Reino Unido, los jueces se desplazan a las jaulas de los gatos para realizar la valoración de sus rasgos; el juez recibe la ayuda de un auxiliar que empuja la mesa portátil, saca al gato de la jaula y presta su apoyo al juez en todo lo que necesita.

el año, organizadas por los clubes regionales o por clubes de criadores y asociaciones felinas específicas para ciertas razas. En su mayoría, estas exposiciones tienen una sección dedicada a gatos sin pedigrí.

Tipos de exposiciones

El GCCF concede licencias para exposiciones en tres categorías: exención, sanción y campeonato.

Las **EXPOSICIONES DE EXENCIÓN** suelen ser bastante reducidas, a menudo ligadas a ferias agrícolas locales o similares. Siguen las directrices del GCCF, pero no cumplen estrictamente todas las reglas. Las **EXPOSICIONES DE SANCIÓN** sirven de ensayo a los campeonatos. Las clases disponibles, el formato de la exposición y el procedimiento aplicado por los jueces son idénticos a los de los campeonatos, con una salvedad: no se expiden certificados Challenge ni Premier, es decir, los ganadores no pueden presentarse a otras exposiciones exhibiendo tales títulos.

Existe, no obstante, una exposición del GCCF que lleva el título de sanción y sí concede certificados Premier a los animales esterilizados ganadores; podría parecer una anomalía, pero en realidad la razón es sencilla: se trata de la Exposición del Club de Gatos Neutros y Cachorros de Kensington. Al no haber ningún animal adulto sin esterilizar en la feria, no es posible expedir certificados Challenge ni declarar a ningún gato campeón, por lo que la exposición no puede decirse campeonato. Las **EXPOSICIONES DE CAMPEONATO** son las más populares, ya que tienen el aliciente de que se conceden certificados de campeones a los gatos neutros y a los enteros.

Categorías de clases

Existen cinco clases de exposiciones para gatos de raza: abiertas, de evaluación, de exhibición, misceláneas y de club (las dos últimas se suelen llamar clases «secundarias»).

Las clases abiertas permiten la participación de todas las razas con pedigrí y sus distintas variaciones de color. Existen clases separadas para adultos enteros, cachorros y adultos neutros de cada raza y color. Todos los gatos adultos se dividen en machos y hembras; en el caso de los cachorros y los neutros, las clases pueden separarse por sexo, según el número de participantes. Los ganadores de las clases de adultos y neutros pueden recibir un certificado Challenge (adultos enteros) o Premier (adultos neutros), si el juez entiende que los ganadores globales cumplen el estándar prescrito y pertenecen a una raza con condición de campeón. No son raros los casos en que el certificado no se concede cuando se considera que el ejemplar no lo merece. Tres certificados de esta clase concedidos por jueces diferentes otorgan al gato el título de Campeón o Premier. También existen exposiciones abiertas de gran clase, donde solo participan los gatos ya galardonados con el título de Campeón o Premier; estos animales compiten dentro de su grupo y sexo (siamés macho adulto, burmés hembra adulto, extranjero de pelo corto adulto neutro...) por el codiciado certificado Grand Challenge o Grand Premier. De nuevo, el veredicto de tres jueces distintos otorga al gato el título de Gran Campeón o Premier. Todos los animales expuestos deben participar en su clase abierta relevante, a menos que sean ya campeones o Premier, en cuyo caso podrán optar a participar únicamente en ferias de gran clase o en ambas, de gran clase y abiertas.

Las clases de evaluación están reservadas a nuevas razas de gatos a las que el GCCF ha otorgado un reconocimiento preliminar. Estas razas se juzgan de la misma forma que en la clase abierta, pero también muestran un estándar provisional de la raza encima de sus jaulas para ayudar al juez a evaluar la nueva raza. Las que se adecuan al estándar reciben un certificado de Mérito.

En la mayoría de las exposiciones se dispone igualmente de jaulas de exhibición reservadas para gatos que no participan en la competición. Por lo general, las jaulas de exhibición contienen gatos o cachorros que muestran una variante de color nueva o que son de raza importada en espera de reconocimiento por el GCCF. Otras jaulas pueden alojar a algunos famosos ganadores anteriores a los que el dueño ha decidido no volver a presentar a ninguna competición, pero que siguen teniendo gran interés para los aficionados. Estas jaulas de exhibición son las únicas que pueden llevar el nombre del gato para identificarlo.

Las clases secundarias ofrecen en realidad una oportunidad de que sus gatos reciban la valoración de varios jueces diferentes, no solo el designado para la clase abierta. Existen varias categorías de estas clases, como son las de debutante (para ejemplares que nunca antes habían tomado parte en exposiciones) y límite (animales que no han ganado más de cuatro primeros premios). Así, su gato tendrá ocasión de competir con otros tipos y colores de felinos dentro de su categoría.

◆ IZQUIERDA
En las exposiciones del GCCF en el Reino Unido, las únicas jaulas que pueden decorarse son las de gatos de exhibición, no de competición; la única salvedad a esta regla es la Exposición Suprema anual, donde todas las jaulas están decoradas.

Los ejemplares sin pedigrí tienen su propia sección especial, las clases abiertas, comúnmente dispuesta según la longitud del pelo y el color, pero con una clase especial para gatos de medio pedigrí. Las clases secundarias suelen ser más divertidas y variadas, con categorías para los gatos con los ojos más grandes o la cara más expresiva, o incluso para «el gato que le gustaría llevarse a casa».

Cómo participar en una exposición

El GCCF publica una lista al principio de la temporada de exposiciones con una relación de todas las ferias de los clubes felinos, las fechas, los puntos de reunión, el tipo de exposición y el nombre y la dirección de los directores de la feria. La mayoría de los clubes hacen también publicidad de sus reuniones en las revistas especializadas en gatos, explicitando a los posibles participantes la fecha programada y, también, la fecha de cierre de las inscripciones. Es importante solicitar el programa y enviar el formulario de inscripción rellenado lo antes posible; muchas exposiciones tienen un espacio limitado para los ejemplares, y las inscripciones se aceptan muchas veces según el orden de llegada, de forma que los programas se envían primero a los miembros del club.

Cuando reciba el programa, lea primero las normas con detenimiento. Una información incorrecta en el formulario de inscripción puede descalificar a su gato, al que se desposeería sin ningún tipo de contemplación los premios conseguidos. Escriba en el formulario el nombre del gato, el de sus padres y el número de registro que aparece en su documento de registro o transferencia. Recuerde que solo podrá exponer a su gato si está registrado con su nombre.

Los programas suelen estar disponibles dos o tres meses antes de la feria, por lo que si su cachorro tuviera más de nueve meses en la fecha de la exposición debería ser inscrito en la clase para adultos. Tal vez incluso esté pensando en no utilizarlo para cría, por lo que en esa fecha podría ser un gato neutro.

Mire bien el programa y busque la clase abierta adecuada para la raza y el sexo de su mascota; un error corriente consiste en inscribir a un gato esterilizado en la clase adulta, o a un cachorro en la de neutros. Si tiene dudas, póngase en contacto con el criador de su gato para pedirle consejo. A menos que esté totalmente desesperado, absténgase de telefonear al director de la exposición, que tendrá mucho trabajo solo con ordenar todos los formularios de inscripción diarios, una labor que probablemente añadirá a sus compromisos familiares y laborales, aparte de su labor en la organización de la muestra.

Las clases misceláneas y de club se recogen, en secciones agrupadas, después de las clases abiertas. Cerciórese también aquí de que está inscribiendo a su gato en la clase correcta. Por ejemplo, en la sección de británicos de pelo corto habrá clases para gatos de color uniforme; si se inscribe a un gato atigrado en esta clase, quedará descalificado, ya que su dibujo del

EQUIPO NECESARIO EN LA EXPOSICIÓN

Aunque muchas exposiciones tienen mostradores donde se vende todo el equipo necesario para exhibir al gato, no aconsejamos fiarse enteramente de esta posibilidad. Compre con antelación todo lo que necesite. Y no se olvide de usted mismo; la mayoría de las muestras suelen tener salones donde se vende comida pero no todas, por lo que a menudo es buena idea llevarse un almuerzo preparado y una silla plegable, pues no todas estas salas tienen suficientes asientos.

• El primer elemento esencial es una buena caja para llevar al gato, ya que en las exposiciones no se acepta ningún ejemplar sin dicha caja; en Estados Unidos se acepta, aunque es muy raro, llevar a los gatos con collar y una correa.

• En el Reino Unido, todos los ejemplares están en jaulas sin más signos visibles que el número de jaula. Para cada gato se permite una simple sábana blanca o un trozo de «tela de clínica», una bandeja sanitaria, un bebedero y un comedero, todo ello de un color blanco sin señas. En Estados Unidos, las jaulas pueden estar decoradas, y los complementos ser de cualquier color.

• Se exige que todos los gatos lleven una etiqueta con su número de jaula; esta etiqueta es ofrecida por los organizadores, pero no así la fina cinta blanca o la goma elástica con que ponérsela al gato.

• La jaula en la que estará el gato durante todo el día ha sido ya limpiada y desinfectada, pero muchos dueños prefieren llevar sus productos higiénicos preferidos para estar completamente seguros de que su gato se encuentra bien.

• No olvide llevar arena y comida para su gato, y un abrelatas, importantísimo si lo que le gusta a su mascota es la comida envasada. Siempre hay agua disponible, aunque a menudo no del suministro de la red, por lo que muchos participantes prefieren llevar consigo una botella de agua mineral para sus gatos.

• Por último, todos los gatos admitidos en la exposición deben haber sido vacunados contra enfermedades como la EIF y, en el Reino Unido, tal vez se pida presentar el certificado de vacunación al veterinario de guardia, así que no olvide llevar consigo la tarjeta de vacunas en el equipaje. Estos veterinarios rara vez prestan servicio en las exposiciones felinas en Estados Unidos.

◆ ARRIBA
En las exposiciones del GCCF, los gatos son todos anónimos, identificados solo por el número de jaula, y se exhiben sobre una sábana blanca, con una bandeja sanitaria blanca y una escudilla del mismo color; el comedero, que se aprecia en esta jaula, debe retirarse antes de que comience el juicio de clase abierta, ya que podría interpretarse como un signo de diferenciación.

◆ PÁGINA SIGUIENTE
Para alcanzar la perfección en una muestra, el pelaje del gato británico ha de ser corto, crespo y denso; muchos dueños de gatos dejan que sus animales salgan al exterior para que se les encrespe el pelo.

◆ DERECHA
En la mayoría de los países, los gatos deben entrar en la sala de exposición en una caja para gatos. Esta bolsa de cuero de alta calidad es un medio excelente de viajar, aunque cualquier caja resistente resultaría adecuada.

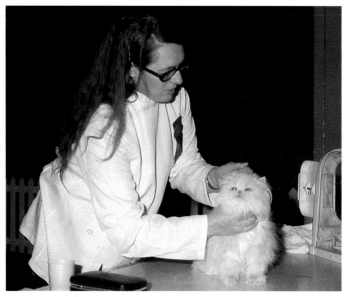

pelaje corresponde a una clase distinta. Compruebe un par de veces la información que ha escrito en el formulario para asegurarse de que todo está correcto, y de que ha elegido las clases adecuadas; recuerde adjuntar igualmente un cheque para satisfacer las cuotas de inscripción, ya que no se le admitirá si no incluye la cantidad pecuniaria adecuada.

Por último, es aconsejable añadir también una tarjeta postal o similar para que el director de la exposición se la remita indicándole que su inscripción ha sido aceptada; no parece que sea muy divertido conducir durante un par de cientos de kilómetros con un gato maullando en el asiento del coche para, finalmente, descubrir que no ha sido inscrito porque el formulario nunca llegó o lo hizo demasiado tarde.

Qué hacer en una exposición

Las exposiciones para gatos empiezan temprano, y abren sus puertas a los exhibidores y sus gatos hacia las 7.30 horas de la mañana. El dueño de cada ejemplar exhibido recibirá un sobre que contiene el número de jaula de su gato, una etiqueta que muestra su número y una tarjeta o escarapela de premio. Algunas ferias, en general las más importantes, envían este material al exhibidor una semana antes del evento, pero en otras es lo primero que ha de recogerse al llegar a la sala de exposición.

Lo siguiente es llevar al gato al veterinario: todos los ejemplares exhibidos han de ser examinados por uno de los veterinarios

designados antes de entrar en la nave principal donde serán metidos en jaulas. El veterinario buscará indicios de parásitos, como pulgas y ácaros en las orejas, infecciones fúngicas del tipo de la tiña y cualquier enfermedad infecciosa que pudiera transmitirse durante la exposición. Cualquier gato que muestre síntomas de estas dolencias podrá regresar a casa o pasar a la sala de confinamiento.

Seguramente, en el veterinario le darán una tarjeta «V» que podrá poner en la jaula, para señalar que el gato ha pasado el examen. Algunas exposiciones piden al veterinario que ponga una letra en el sobre para indicar que el animal ha sido ya examinado, lo que se marcará en una tabla con todos los números de jaulas. Sea cual sea el método escogido, garantizará que en la sala de exposición entren únicamente animales sanos y visiblemente bien acoplados.

A continuación hay que buscar la jaula con el número asignado a nuestro gato. Limpie la jaula con desinfectante, si lo ha traído consigo, y deje que el gato se acomode dentro con la sábana de viaje, la bandeja sanitaria, el agua y, tal vez, algo de comida.

Cuando el gato se haya acomodado, dispondrá de un poco de tiempo para un cepillado de último momento; si su gato es de pelo largo, cerciórese de que elimina todo rastro de polvo de talco del pelaje. Luego coloque la sábana blanca de la exposición en la jaula y retire la anterior y cualquier recipiente con comida. Retire también los juguetes, o cualquier otro elemento que pudiera interpretarse como característica distintiva. No olvide ponerle la etiqueta al gato en el cuello o, si su mascota no está acostumbrada al collar, tal vez el director de la exposición le deje colocarla en la jaula; recuerde que no será posible valorar a un gato si no tiene la etiqueta puesta al cuello o en la jaula.

A las 10.00 horas de la mañana se pedirá a todos los exhibidores que abandonen la sala para que el jurado de las clases abiertas pueda iniciar su labor; normalmente, le dejarán regresar a la sala en torno al mediodía o las 12.30 horas.

Tan pronto como la sala se despeja de exhibidores, el catálogo de la exposición pasará a estar a disposición de todos excepto los jueces y sus ayudantes. Con este catálogo podrá saber exactamente a qué nivel de competición se está enfrentando

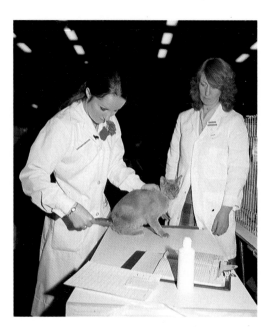

◆ ARRIBA
*En todas las razas
con cola, el juez
examinará la cola del
gato para asegurarse
de que no tiene
ningún rizo ni
defecto.*

su gato, y cuántas son las distintas clases en que participa.

Los resultados de las clases abiertas se empezarán a conocer entre las 11.30 horas y el mediodía, y como estas son las más importantes, la gente se agolpará junto al tablero de resultados. Los valores de los resultados se colocarán en orden numérico de clase, por lo que es fácil encontrar el nuestro. Estos valores solo muestran el número de jaula del gato, de nuevo en orden numérico, con el número de premio obtenido escrito al lado. Este número es 1, 2, 3 y R (reserva o cuarto), y los ganadores reciben una escarapela (algunas exposiciones solo recompensan con la escarapela a los tres primeros puestos), y una tarjeta del premio. En clases grandes de gatos de alta calidad, el juez puede conceder premios llamados VHC, HC o C, que conceden recomendaciones muy alta, alta y normal a los ejemplares elegidos y les entregan una tarjeta conmemorativa al efecto.

El macho y la hembra ganadores en las tres clases abiertas (adulto, cachorro y neutro) de cada raza y color en particular son entonces juzgados comparativamente

para obtener la escarapela del Mejor de la Raza. Los adultos y los neutros no participantes en la clase abierta, sino tan solo en la gran clase, también pueden tenerse en cuenta para este galardón.

Si el gato vencedor cumple el estándar establecido, el resultado indicará «CC» (certificado Challenge) o «PC» (certificado Premier) después del número 1; «CC W/H» o «PC W/H» indican que el juez ha renunciado a dar el certificado. Es posible que, si el estándar es demasiado bajo, el juez no conceda tampoco el primer premio, lo que se significará con un resultado «1 W/H». Una indicación «CNH» junto a un número de jaula indica que el gato no pudo ser manejado. Las escarapelas y las tarjetas con los premios se ponen entonces en las jaulas en el orden debido, aunque no hasta que se haya completado la valoración de la clase.

Las clases secundarias se juzgan después de las abiertas; algunas exposiciones ofrecerán la opción de elegir entre premio en metálico o escarapelas, aunque últimamente parece que solo se dan las últimas. Si tiene opción, debe tomar la tarjeta de premio de la tabla de escarapelas para reclamar la recompensa que prefiera.

Al final del día, algunas muestras elegirán al Mejor de la Muestra en las categorías de adulto, cachorro y neutro en cada una de las siete secciones y, si existe una para gatos sin pedigrí, también se elegirá al mejor en esta categoría. Existen además copas que se concederán a los miembros del club para que las guarden durante un año; algunas exposiciones se las otorgan el día de la muestra, aunque otras presentan estos trofeos en sus reuniones generales anuales.

EXPOSICIONES EN OTROS PAÍSES

En todo el mundo, el objetivo principal de una exposición felina es encontrar el mejor ejemplar de cada raza el día del evento. Estos gatos ganadores obtienen certificados adecuados que les pueden merecer la condición de campeones que sea pertinente. Las principales diferencias entre

CÓMO TRABAJAN LOS JUECES

En el Reino Unido, el juez, acompañado por un ayudante, va a la jaula del gato; el ayudante acude con una mesa portátil para poder juzgar al gato dentro y fuera de la jaula. El ayudante es responsable también de manejar al gato y de presentarlo al juez para que tome su decisión. En Estados Unidos y en el continente europeo, donde el sistema más utilizado es el de la valoración en zona aparte, las obligaciones del ayudante incluyen también sacar a cada gato de su jaula y llevarlo hasta el juez en la zona reservada a tal efecto. La única vez que esto sucede en el Reino Unido es en la Exposición Felina Suprema, donde se emplea también un método de valoración en zona aparte; los gatos son llevados hasta el juez, y los dueños y el público pueden asistir a la operación. Como el juez no va nunca a las jaulas de los gatos, estas pueden estar decoradas, y mostrar cualquier premio obtenido anteriormente para que todo el mundo lo admire. Para permitir la participación en la Exposición Suprema un gato debe haber conseguido ya un título de Campeón o Premier, o haber ganado al menos un certificado en la temporada anterior; en el caso de los cachorros, una victoria en una exposición para campeonato garantiza la participación. El momento más importante del día es la valoración final de los tres ganadores de la Exposición Suprema: adulto, cachorro y neutro.

Los gatos con pedigrí se valoran según el estándar definido para su color y su raza, pero también se tienen en cuenta el estado, el temperamento, la salud general y la presentación del gato. Si hay dos gatos de calidad similar, pero uno está mejor cepillado, muestra una actitud más dulce o simplemente tiene una sábana más limpia, estas circunstancias se reflejarán en la valoración del juez. Cuando se evalúan gatos sin pedigrí, donde no existe «estándar de la raza», son precisamente estos los criterios de valoración, junto con una visión un tanto subjetiva por parte del juez, que bien puede preferir un gato pardo a uno atigrado.

✦ ABAJO
El juez tendrá que valorar el color de los ojos de cada ejemplar expuesto; en la imagen el ayudante sostiene al gato para que el juez pueda mirarlo bien de cerca.

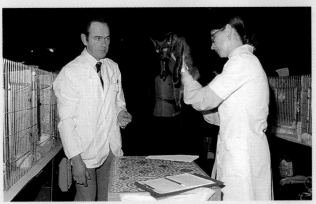

✦ IZQUIERDA
Una vez evaluados los rasgos más finos de la raza, el juez querrá sujetar al gato para valorar su peso, su estado y su complexión general.

DIFERENCIAS ENTRE LAS EXPOSICIONES EN EL REINO UNIDO, EE. UU. y EUROPA

	RU (GCCF)	EUA (general)	EUROPA (FIFe)
El ejemplar expuesto se inscribe con el nombre del exhibidor	✓	✓	✓
Inscripción activa/no activa	✓	Puede marcarse «no para cría» en «tira azul»	✗
Examen del veterinario	✓	✗	✓
Los ejemplares deben haber sido vacunados	✓	✓	La FIFe exige vacunación contra EIF y gripe
Producción del certificado de vacunación	✓	✗	✗
Los ejemplares expuestos han de llegar a la exposición en una caja de transporte	✓	✗	✓
Se necesita equipo de exposición blanco	✓	✗	✗
Se permite decorar las jaulas	Solo en la Exposición Suprema	✓	✓
Sistema de valoración en zona aparte	Solo en la Exposición Suprema	✓	✓
Sistema de valoración en la jaula	✓	✗	✗
Clases abiertas disponibles	✓	✓	✓
Clases varias disponibles	✓	✗	✗
Concesión de certificados CC, CAC, CACIB...	✓	✗	✓
Concesión del título de Campeón/Premier (3 exposiciones/3 jueces diferentes)	✓	✗	✓
Puede hacerse a un gato campeón en una sola exposición	✗	✓	✗
Informe escrito de los jueces disponible el día de la muestra	Solo en la Exposición Suprema	✓	✓
Informe escrito de los jueces publicado en una revista especializada	✓	✗	✓
Los gatos/cachorros pueden comprarse en la exposición	✗	✓	✓

◆ ABAJO
En Europa, al igual que en Estados Unidos, las jaulas pueden decorarse, ya que la valoración del juez tiene lugar en un área independiente, fuera de la zona donde se enjaula a los animales.

las exposiciones del Reino Unido y las del resto del mundo residen en la forma de organización de la exposición, los métodos de valoración, las razas reconocidas elegibles que participan en el campeonato y los títulos otorgados a los vencedores. Además, las exposiciones británicas no utilizan el sistema de valoración en zona aparte, y las jaulas no están decoradas, de manera que los gatos se examinan en el más completo anonimato. La preparación de la muestra, los programas y los formularios de inscripción son aproximadamente los mismos en todos los países que organizan estas clases de exposiciones.

Exposiciones en Estados Unidos

En Estados Unidos existen numerosos organismos de gobierno que impulsan distintas normas y reglamentaciones; algunos reconocen ciertas razas y dibujos de color que otros no hacen.

Exposiciones en Europa

Los clubes en Europa están regidos principalmente por la Fédération Internationale Féline (FIFe), el mayor organismo regulador del continente. Cualquier exposición organizada por un club afiliado a la FIFe debe aplicar sus reglas, de igual manera que el GCCF administra las reglas de las muestras felinas en el Reino Unido. Las exposiciones se juzgan por el método de la valoración en zona aparte, de forma que las jaulas suelen estar muy decoradas.

Los gatos se exhiben con la esperanza de obtener un *Certificado de Aptitud de Campeonato* (CAC), el equivalente al certificado Challenge del GCCF, o para que los campeones puedan conseguir el *Certificado de Aptitud de Campeonato Internacional de Belleza* (CACIB), que se corresponde en valor con el certificado Grand Challenge. Si se obtienen tres certificados de tres jueces diferentes, al igual que en el Reino Unido, el gato podrá utilizar el título de Campeón o, en el caso de un CACIB, de Campeón Internacional. Entre los países europeos no existen limitaciones al traslado de animales vivos, y este título (equivalente al de Gran Campeón en el Reino Unido) parece más adecuado, ya que la mayoría de los animales que merecen este honor se han expuesto en más de un país.

La FIFe y el GCCF mantienen una estrecha relación, y es bastante frecuente que los jueces británicos participen en exposiciones en otros países del continente, o que los jueces de la FIFe intervengan en las muestras celebradas en el Reino Unido: los estándares de las razas son los mismos.

LOS INFORMES DE LOS JUECES

El objeto global de llevar a un gato a una exposición es lograr una valoración ecuánime de los jueces; es lo más importante del día. Todos los informes de los jueces del Reino Unido se publican en la revista semanal Cats, *y la publicación mensual* Cat World *publica una sección sobre exposiciones que cita a los gatos ganadores, pero sin los comentarios de los jueces. Es posible hablar con el juez en el transcurso de la exposición, pero nunca debe interrumpirse su labor durante la valoración, bajo el riesgo de ser descalificado. (En la recepción del resultado, la mayoría de los jueces se complacen en enviar al interesado una copia de su informe después de la exposición.)*

La excepción a esta norma es la Exposición Suprema anual, así como las clases de valoración en otras muestras, donde los jueces dejan una evaluación escrita de cada ejemplar en la jaula.

En las exposiciones de la FIFe, los jueces proporcionan un informe escrito sobre el día de la muestra, y en Estados Unidos los competidores pueden disfrutar de lo mejor de estos procedimientos: un comentario mientras se lleva a cabo el juicio y un informe escrito que detalla los valores que se han dado a cada rasgo del animal.

PREPARAR AL GATO PARA LA EXPOSICIÓN

Los preparativos para la exposición no se pueden hacer de la noche a la mañana por una transformación milagrosa. Un gato bien atendido debe tener siempre buen aspecto; si rebosa salud se trasluce en sus ojos brillantes y su pelo lustroso. Para alcanzar este estado ha de suministrársele una buena alimentación y mantenerle limpio, dos cosas para las que el animal depende de su dueño. Muchos ejemplares por lo demás excelentes se han echado a perder por no cumplir esta norma, y ciertamente nadie podría culpar de ello al gato. Sin embargo, antes de la exposición hay algunos trabajos adicionales de limpieza que pueden hacerse; recuerda siempre que solo sirven para dar el toque final a un gato ya en buenas condiciones.

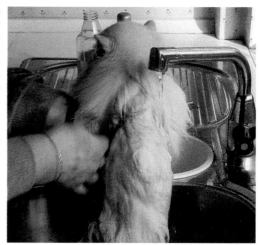

✦ ABAJO
Moje el pelaje del gato con agua tibia, no caliente.

✦ ARRIBA
Frote bien el pelo con un champú antialérgico.

Lavar al gato

Todos los gatos de pelo largo y algunos de colores más claros agradecerán un buen baño unos días antes de la muestra. A no ser que su felino esté ya acostumbrado al agua, es aconsejable pedir ayuda. El mejor lugar será tal vez el fregadero de la cocina, ya que las bañeras son demasiado grandes y pueden asustar al gato, y las palanganas suelen ser demasiado pequeñas.

• Llene la pila con agua templada hasta un tercio. Use una alcachofa de ducha empalmada al grifo, mójele el pelo al gato.

• Aplíquele un poco de champú neutro, como pueda ser el usado para bebés o uno especial para gatos. Frótele suavemente el pelo, y enjuáguelo a conciencia. Si quedan manchas rebeldes, repita el proceso.

• Aplíquele un acondicionador de pelo de buena calidad, pero intente evitar los productos demasiado perfumados, que podrían desencadenar una reacción alérgica. En los gatos de pelo largo es de la máxima importancia usar un acondicionador de este tipo, ya que ayuda a separar los pelos, y facilita el cepillado final. Los gatos de pelo corto necesitan un poco de acondicionador para evitar que sus finos pelos se queden lacios después del lavado.

• Con un peine de dientes anchos, extienda el acondicionador por todo el pelo, cerciórese de que no quedan zonas enmarañadas, y aplique un enjuagado minucioso. Envuelva al gato en una toalla y frótelo.

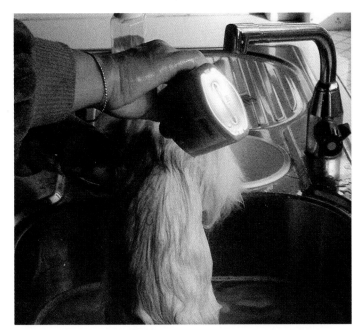

✦ DERECHA
*Un buen
acondicionador de
pelo ayudará a que
este no se enmarañe.*

✦ ABAJO
*Peine todo el pelo
mientras dura
el efecto del
acondicionador.*

✦ ABAJO
*Finalmente, después
de enjuagar bien
el pelo, envuelva al
gato en una toalla
para eliminar el
exceso de humedad.*

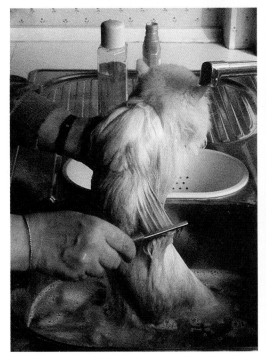

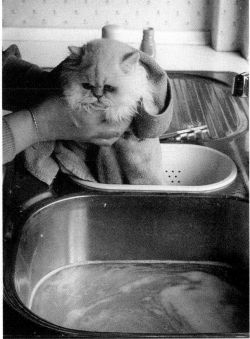

UN BAÑO DE SALVADO

La mayoría de las variedades de pelo corto agradecerán un baño de salvado. Caliente un poco de avena natural en el horno o el microondas, hasta que esté templado al tacto, aunque nunca demasiado caliente para no quemarse las manos. Frótelo con suavidad repartién-

dolo por todo el pelo del gato. El salvado absorberá el exceso de aceites y la caspa suelta.

Cuando se cepille bien, dejará un pelaje limpio y reluciente. Si aplica una gamuza o un trozo de seda se dará al pelaje un toque lustroso final.

❶ Frote suavemente el salvado caliente en el pelo del gato.

❷ Cepille bien al animal para quitar el salvado y dejar un pelaje limpio y reluciente.

Secar al gato

Lo siguiente que ha de hacerse es secar al gato, de un modo diferente en las variedades de pelo corto y en las de pelo largo, ya que la textura del pelo es distinta. En cualquier caso, es importante proceder al secado lo antes posible, para evitar que el gato se resfríe.

GATOS DE PELO LARGO. Muchos criadores de gatos de pelo largo invierten en un secador de pie, que es un aparato caro y que puede sustituirse con buenos resultados por un secador corriente, si se tiene la ayuda de alguien que sostenga el aparato.
• Dirija el secador al pelo del gato, pero no lo acerque demasiado para evitar que se sienta incómodo. Utilice un peine de dientes anchos para repasar todo el pelo, empezando por el lomo y siguiendo por las partes inferiores.
• Con el pelo seco a medias, esparza un poco de polvos de talco y empiece a cepillar al gato con un cepillo de cerdas. Cepille el pelo siempre en sentido contrario al de su crecimiento natural, para darle más cuerpo y presencia.
• Prosiga con la operación hasta que el gato esté completamente seco, añada más polvo si se necesita y cerciórese de que tanto el pelo como las barbas están bien cepillados y parecen flotar.

GATOS DE PELO CORTO. Secar a un gato de pelo corto es mucho más fácil, ya que no es preciso usar polvos de talco y el pelo se queda cerca de la piel.
• No es necesario usar un secador: si el gato rehúsa este aparato, bastará secarlo con una toalla cerca de un radiador u otro aparato de calefacción.
• Cepille siempre a los gatos de pelo corto en la dirección de la tendencia natural de crecimiento, para mantener una apariencia lustrosa.

Comprobaciones finales

Por último, compruebe que los ojos y las orejas están limpios. Cualquier rastro de «legañas» en el ángulo del ojo puede retirarse con un dedo limpio. Un algodoncito humedecido aplicado a la parte exterior de

la oreja permitirá limpiar bien esta zona. De igual modo es preciso limpiar todos los orificios del gato (no a muchos jueces les gusta descubrirse esta suciedad en las manos...). Finalmente, córtele las uñas lo suficiente para que no arañe, ya que a los jueces tampoco les agradan los arañazos, y hasta el más amable de los animales puede hacernos sangrar accidentalmente si tiene las uñas demasiado largas.

◆ ARRIBA
Después de bañar al gato, sobre todo si es de una raza de pelo largo, es importante secarle el pelo lo más rápido posible para que no coja frío.

DESPUÉS DE LA EXPOSICIÓN

Con independencia de las precauciones que haya tomado para reducir al mínimo la posibilidad de que su gato contraiga una infección de otros felinos, siempre existe un ligero riesgo de que el animal se traiga a casa algún regalo no deseado, aparte de su certificado. En una casa en la que haya más gatos, sobre todo si son cachorros pequeños y todavía no están vacunados, conviene tomar ciertas medidas. Algunos exhibidores llegan al extremo de aislar a los animales que han presentado a la exposición, lo que parece una buena medida preventiva. También, aplicar al gato un aerosol antipulgas antes de reunirlo con los demás de su especie garantiza que ningún visitante

inoportuno traspase el umbral de la casa.

Una idea antigua que funciona consiste en mojar un trozo de algodón con whisky, u otra bebida alcohólica, y limpiar con él la boca, las zarpas y la región anal del gato; el alcohol mata la mayoría de los gérmenes, y son estas partes de la anatomía las más propensas a sufrir infecciones.

También resulta prudente en exhibidores que tienen cachorros no vacunados en casa desinfectarse las manos y los zapatos antes de tocarlos después de volver. Mejor todavía, cámbiese de ropa y de zapatos. Este consejo no pretende alarmar, sino que es una cuestión de sentido común.

Lecturas adicionales

Andrew, Dr. Tony, y Humphreys, Dr. David *Poisoning in Veterinary Practice*. Noah, 3 Crossfield Chambers, Gladbeck Way, Enfield, RU.

Black's Veterinary Dictionary. A.C. Black, Londres.

Brown, Carol V. *The Pieces of a Cat*. Carlton Press, Inc., Nueva York.

Cutts, Paddy. *The Essential Cat*. Brian Trodd, Londres.

Fogarty, Marna (ed.). *The Cat Fanciers' Association, Inc 1991-1992 Yearbook*. CFA, Inc., Manasquan, Nueva Jersey, EE.UU.

Fogel, Bruce. *Know Your Cat: An Owner's Guide to Cat Behavior*. Dorling Kindersley, Nueva York y Londres.

Fogel, Bruce. *The Cat's Mind*. Pelham Books, Londres.

Hawcroft, Tim. *Complete Book of Cat Care*. Ring Press Books, Letchworth, Herts, RU.

Hornidge, Marilis. *That Yankee Cat, The Maine Coon*. Tilbury House Publishers, Gardiner, Maine, EE.UU.

Kunkel, Paul. *How to Toilet Train Your Cat: 21 Days to a Litter-free Home*. Workman Publishing, Nueva York.

MacDonald, Mardie. *The Cat Psychologist*. Perigee Books, Nueva York.

Moore, Joan. *Cat Shows and Showing Cats*. Cat World Ltd, Shoreham-by-Sea, W Sussex, RU.

Pedersen, Neils C. *Feline Husbandry, Diseases and Management in the Multiple Cat Environment*. American Veterinary Publications, Goleta, California, EE.UU.

Pocock, Robine. *The Burmese Cat*. BCC c/o Mrs Boizard-Neil, Willow House, Rowe Lane, Pirbright Surrey, RU.

Prosé, Pieter J. *Practical Cat Genetics for the Breeders of Persian Cats*. Versiones en neerlandés e inglés c/o Mme. Helene Prosé, Gastelseweg 45, 6021 GK Budel, Países Bajos.

Robinson, Roy. *Genetics for Cat Breeders*. Pergamon Press, Oxford, RU.

Simmonet, Jean. *The Chartreux Cat*. Synchro Company of Paris; c/o Jerome M Auerback, 823 Debra St, Livermore, California, EE.UU.

Simpson, Michael y Patricia (ed.). *Caring For, Breeding, and Showing Your Maine Coon Cat*. Maine Coon Breeders & Fanciers Assoc, c/o Patricia Simpson, 13283 Deron Avenue, San Diego, Californa 92129, EE.UU.

Smith, Vivienne. *The Birman Cat*. c/o Bridge House, 2 Gold Street, Riseley, Bedfordshire, RU.

Stephens, Gloria. *Legacy of the Cat*. Chronicle Books, San Francisco, California, EE.UU.

Tabor, Roger. *The Rise of the Cat*. BBC Publications, Londres.

Tellington-Jones, Linda, con Taylor, Sybil. *The Tellington Touch: A Breakthrough Technique to Train and Care for Your Favorite Animal*. Jane Wesman Public Relations for the Arts, Nueva York.

Turner, Dennis C. *The Domestic Cat: Biology and its Behaviour*. Cambridge University Press, Cambridge, RU.

Vella, Carolyn M., y McGonagle, John J. *In the Spotlight*. Howell Book House, Macmillan Publishers Co., Nueva York.

Wright, Michael, y Walters, Sally (ed.). *The Book of the Cat*. Pan Books, Londres y Sidney.

Direcciones de interés

Lista de organizaciones oficiales y principales asociaciones felinas, de España y América Latina.

Europa

Fédération Internationale Féline (FIFe)
Doerhavelaan, 23
5644 BB Eindhoven
Holanda
E-mail: penby@compuserve.com

España

Asociación Felina Española (ASFE)
Conde Aranda, 68, desp. 3
50003 Zaragoza
Tel/fax: 976 44 09 83

Club Felino de Madrid (CFM)
Baeza, 4, oficina 9
28002 Madrid
Tel./fax: 91 413 23 59

Asociación Felina Aragonesa (AFA)
Esclava Hilarión, 11, local 1
50010 Zaragoza
Tel./fax: 976 34 68 13

Asociación Felina de la Comunidad Valenciana (AFCV)
Apartado de correos 8041,
Sucursal 8
Valencia
Tel./fax: 96 374 27 01

Asociación Felina de Andalucía (ASFA)
Salto de Alvarado, 51
41007 Sevilla
Tel./fax: 95 451 01 79

Associació Felina de Catalunya (ASFeC)
J. Brune, 15
08391 S.Viçens de Montalt
(Barcelona)
Tel./fax: 93 791 25 62
E-mail: asfec@geocities.com

Club Felino de Castilla-León (CFCL)
Apartado de correos 3005
Valladolid
Tel./fax: 983 37 13 86
E-mail: ef-el@usa.net

Asociación Felina de Galicia (ASFEGA)
General Sanjurjo, 42
15006 A Coruña
Tel./fax: 981 28 29 33

Asociación Felina de Euskadi-Euzkadiko Katuzaleen Elkartea (AFE-EKE)
Etxabarri Bidea, 7
Etxabarri Ibiña-Zigoitia (Álava)
Tel./fax: 945 46 00 29

Reino Unido

Governing Council of the Cat Fancy (GCCF)
4-6 Penel Orlieu
Bridgewater
Somerset TA6 3PG

GCCF Cat Welfare Liaison Committee
79 Pilgrim's Way
Kemsing
Near Sevenoaks
Kent TB15 6TD

Sudamérica

Argentina

Asociación Felina Argentina
Belgrano, 2694, P10, depto. C
1096 Buenos Aires
Tel./Fax: 5411 4943 1305

Asociación Argentina de Medicina Felina
Sánchez de Bustamante, 2476 (1425)
Buenos Aires
Tel./fax: 5411 4801 3161

México

Asociación Felinófila Mexicana (AC AFEMEX)
Cero del Otate, 20,
Col R de Terreros
04310 México D.F.
Tel.: 52 5687 5619
Fax: 52 5554 3575

Estados Unidos

American Cat Association (ACA)
8101 Katherine Drive
Panorama City
CA 91402

American Cat Fanciers' Association (ACFA)
PO Box 203
Point Lookout
MO 65726

ÍNDICE

AGRADECIMIENTOS

Quiero mostrar mi gratitud a mi editor LESLEY ELLIS, quien me ha ayudado a mejorar la lectura de este libro, y a JUDITH SIMONS y JOANNA LORENZ, de ANNESS PUBLISHING LTD, por su cooperación y apoyo.

ROY ROBINSON, biólogo, me asesoró sobre genética y revisó el texto relacionado con estas cuestiones.

Mi veterinario, JOHN OLIVER, me dio consejo y apoyo para lograr que los datos veterinarios del libro estuvieran al día y fueran lo más exactos posible.

LESLEY PRING y la plantilla del GCCF me aconsejaron sobre las razas de gatos.

LARRY JOHNSON me proporcionó fotografías de razas americanas que aún no existen en el Reino Unido.

DAPHNE NEGUS me asesoró en los aspectos panamericanos de los clubes felinos.

MARJORIE HORNETT me autorizó a fotografiar a sus ejemplares bengalí y ocicat, y me suministró la valiosa información de que disponía de esas razas.

Agradezco a SUE KEMPSTER (gatos británicos), SALLY FRANKLIN (orientales), DAVID FROUD (Maine Coons), ANGELA SIVYER (Manx) y ALAN WATTS (gatos del bosque noruego) su apoyo al proporcionarme gatos de cada una de estas razas para que pudiera fotografiarlos.

SAL MARSH me ayudó en el capítulo sobre cría de gatos.

ROSEMARY ALGER leyó todo el manuscrito para detectar posibles omisiones.

BARBRO MAGNUSSON y HAZEL GLOVER me prestaron sus gatos para las secuencias de cepillado paso a paso.

Mi agradecimiento para LINDA TAYLOR y los CHINCHILLAS DE LYNCHARD.

SUSIE MORSE me ayudó en la mecanografía del texto.

AQUAPETS (EALING) LONDON me prestó el equipo necesario para la fotografía.

COLOUR CENTRE (LONDON) LTD. reveló las diapositivas con su habitual cuidado y eficacia.

A TERRY MOORE de CAT SURVIVAL TRUST, Welwyn, Herts.

MIRANDA VON KIRCHBERG me prestó valiosa información sobre el programa de cría de gatos asiáticos/burmillas.

Finalmente, mi mayor agradecimiento para mi amiga LYNN VAN HAEFTEN, quien tuvo la amabilidad de encargarse de las compras y los recados y de suministrarme todo lo que necesité para escribir este libro.

NOTAS

NOTAS

NOTAS

Notas

NOTAS

NOTAS

Notas

Notas